W0045612

Gardner · Mathematische Planetenzauberei

Martin Gardner

Mathematische Planetenzauberei

Space Puzzles

Ullstein

VERLAG ULLSTEIN GMBH · BERLIN · FRANKFURT · WIEN

Übersetzung: Reinhard Soppa

Printed in Germany 1980 · Gesamtherstellung SVA, Ludwigsburg

ISBN 3-550-07692-4

Die Wiedergabe von Abbildungen erfolgt mit freundlicher Genehmigung von:
Dover Publications, Inc., New York (Bild aus Jules Verne: All Around the Moon)
American Museum of Natural History, Hayden Planetarium
Lowell Observatory
Meteor Crater Enterprises, Inc.
NASA
New Mexico State University Observatory
Jules Bucher, Photo Researchers, Inc.
Yerkes Observatory, University of Chicago, Williams Bay, Wis.
Diagramme des Libra Studios

Inhalt

Einführung

Man hat Experimente mit hungrigen Schimpansen gemacht, die wählen konnten zwischen Fressen und Beobachten eines Zimmers, das plötzlich sichtbar wurde und in dem sich elektrische Bahnen und andere Apparate bewegten. Die Schimpansen zogen es tatsächlich vor zu beobachten statt zu fressen. Diese alte, affenartige Neugier, das Verlangen zu wissen, was geschieht, ist der Hauptgrund, warum die meisten Wissenschaftler forschen.

Es ist natürlich richtig, daß Wissenschaftler noch andere Gründe haben. Wie alle andere Menschen wollen auch sie für ihre Arbeit bezahlt werden. Sie wollen berühmt werden. Sie wissen auch, daß ihre Entdeckungen das menschliche Elend verringern oder das Leben angenehmer machen können. Sie finden Wege, um der Kinderlähmung vorzubeugen, Farbfernseher zu entwickeln oder um frisches Wasser in trockene Wüstengebiete zu bringen.

Für die meisten Wissenschaftler jedoch – sicherlich für die größten – ist das grundlegende Motiv das Verlangen zu *wissen.* Genauso wie Bergsteiger sagen, sie müssen einen hohen Berg ersteigen, ›weil er da ist‹, so wollen die Astronomen das Geheimnis des, sagen wir, Großen Roten Flecks des Jupiter einfach deshalb lösen, weil auch er ›da ist‹. Der Rote Fleck, den sie durch ihre Teleskope sehen, ist für sie das gleiche wie für die Affen die elektrische Eisenbahn, die sie durch eine Öffnung in der Wand sehen. Wie die Affen sind die Astronomen erfüllt von Neugier.

Alle Naturwissenschaften besitzen eine Schönheit im Gefüge und in der Klarheit ihrer Gesetze, aber manche sind schöner als andere. Sicherlich ist die Astronomie eine der schönsten. Ihr Gegenstand ist so weit ausgreifend und so erhaben, daß er Ehrfurcht in den Gemütern erregt – mit Ausnahme der dumpfesten. Diese Sammlung von astronomischen Fragen beabsichtigt, Ihre Empfindung für die Wunder eines unbegreiflich kleinen Teils des Universums, des Sonnensystems, zu wecken. Dies ist der Name, den die Astronomen für unsere Sonne mit ihren neun bekannten Planeten und alle anderen Körper (das sind Monde, Planetoiden und Kometen) gebrauchen, die von der starken Anziehungskraft der Sonne festgehalten werden. Unsere Sonne ist, wie Sie vielleicht wissen, Teil einer gigantischen zweiarmigen, spiralförmigen Galaxis, der Milchstraße, die Milliarden anderer Sonnen enthält. Millionen dieser Sonnen können Planeten haben, die um sie kreisen, ähnlich den Planeten, die unsere Sonne umgeben. Millionen dieser Planeten können von irgendeiner Art Leben erfüllt sein. Das Leben auf diesen fremden Welten kann dem Leben auf der Erde ähnlich sein, oder es kann ganz anders sein, so daß wir es uns noch nicht einmal vorstellen können. Unser Milchstraßensystem ist nur eine von Milliarden anderer Galaxien. Vielleicht können wir in einem zweiten Buch einige Fragen über diesen unermeßlichen Weltenraum, der weit außerhalb der Umlaufbahn des Pluto, unseres äußersten Planeten, liegt, untersuchen.

Inzwischen sind hier einige Probleme über unser eigenes Sonnensystem zusammengestellt. Nachdem die Menschheit ihre ersten, zögernden Schritte in den Weltenraum gesetzt hat und wenn die Astronauten Fußspuren auf dem Mars und anderen Planeten hinterlassen werden, wird die Astronomie sicherlich immer mehr die Nachrichten beherrschen. Wir stehen an der Schwelle zu Hunderten aufsehenerregender und unerwarteter neuer Entdeckungen

Unsere Galaxis, die Milchstraße

über das Sonnensystem. Niemand kann sich unterrichtet nennen, wenn er nicht zumindest die grundlegenden Tatsachen des riesigen und phantastischen Uhrwerks gigantischer Himmelskörper kennt, die nicht von uns gemacht wurden. Wir sind erstaunt (oder sollten es doch sein), uns selbst auf einem von ihnen wiederzufinden.

MARTIN GARDNER

KAPITEL 1

Die Erde

Unsere Erde, der dritte Planet von der Sonne aus, ist das ›Raumschiff‹, mit dem die ganze Menschheit reist. Während sie auf ihrer jährlichen Bahn um die Sonne kreist, rotiert sie wie ein riesiger Kreisel. Sie benötigt für eine vollständige Umdrehung 23 Stunden, 56 Minuten und 4 Sekunden. Diese Eigendrehung ist die Ursache dafür, daß die Sonne, der Mond und die Sterne scheinbar im Osten aufgehen und langsam über den Himmel wandern, bis sie im Westen wieder untergehen. Die Erdachse – eine gedachte gerade Linie, um die die Erde sich dreht – weicht um rund 23 Grad von der senkrechten Richtung zu der Ebene ab, in der sie sich um die Sonne bewegt. Diese Neigung bewirkt, daß die Menge des Sonnenlichts, die zu verschiedenen Zeiten an unterschiedlichen Plätzen der Erde auftrifft, sich ändert. Und diese Änderung der Sonneneinstrahlung ist verantwortlich dafür, daß in einigen Breiten die Jahreszeiten entstehen: Frühling, Sommer, Herbst und Winter. Südlich des Äquators herrschen die entgegengesetzten Jahreszeiten. Wenn in Europa Winter ist, hat man in Afrika oder Australien Sommer.

Das Raumschiff Erde umläuft die Sonne in einer leicht elliptischen Bahn mit 29,8 Kilometer in der Sekunde. Ein Umlauf dauert rund 365 ¼ Tage. Wegen dieses Viertels eines Tages müssen wir

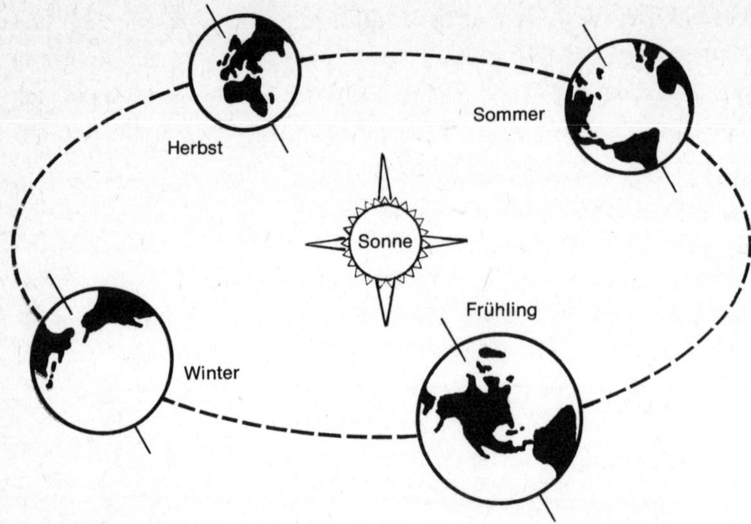

Während die Erde um die Sonne kreist, verändert die Neigung der Erdachse die Menge an Sonnenlicht, die in verschiedenen Breiten auftrifft. Diese Änderung im Sonnenlicht verursacht die vier Jahreszeiten, die hier für die Nordhalbkugel aufgezeichnet sind.

alle vier Jahre einen 366. Tag einfügen und haben ein ›Schaltjahr‹. Täten wir das nicht, dann würden jedes Jahr die Jahreszeiten später im Kalender eintreffen.

Zusätzlich zu den beiden hauptsächlichen Bewegungen der Erde, der Drehung um ihre Achse und des Umlaufs um die Sonne, wird sie noch von der Sonne mitgeführt, während diese sich mit einer Geschwindigkeit von rund zwanzig Kilometer in der Sekunde durch die Milchstraße bewegt. Das Sternensystem selbst dreht sich auch. Und schließlich gehört die Milchstraße zu einer Gruppe von Galaxien, die sich auch wieder durch das Weltall bewegen. Es gibt also mindestens fünf verschiedene Bewegungsarten, denen die Erde unterliegt. Wir können keine davon ›fühlen‹, genausowenig wie jemand in einem ruhig fliegenden Flugzeug die Bewegung wahrnimmt. Wenn man in einem Flugzeug eine Münze in die Luft wirft, bewegt sich die Luft und die Münze mit dem Flugzeug mit. Die Münze steigt und fällt genauso wieder herab, als wäre das Flugzeug auf dem Boden in Ruhe. Da auch die Erde ihre Lufthülle mit sich führt, während sie sich bewegt, gibt es keinen ›Wind‹, der uns spüren läßt, in welche Richtung sie sich bewegt.

Obwohl Millionen Menschen in der Vergangenheit glaubten, daß die Erde flach sei, waren schon viele Griechen in der Antike von der Kugelgestalt überzeugt. Aristoteles, der große griechische Philosoph und Naturwissenschaftler, behauptete (zu Recht), daß die

Blick auf die volle Erde aus 400 000 km Entfernung, aufgenommen von den Astronauten von Apollo 10. Die Westküste von Nordamerika kann eben rechts von der Mitte erkannt werden, der restliche Teil des Kontinents ist unter einer Wolkendecke verborgen.

Erde eine Kugel sei, da bei einer Mondfinsternis der Erdschatten einen kreisförmigen Rand habe. Eratosthenes, ein griechischer Astronom aus dem dritten Jahrhundert v. Chr., berechnete tatsächlich den Erddurchmesser so genau, daß die Abweichung nur rund hundert Kilometer beträgt!

Die Zentrifugalkraft ist eine nach außen gerichtete Kraft, die bei einer Drehung entsteht. Wenn man einen nassen Kreisel in Drehung versetzt, läßt die Zentrifugalkraft einzelne Wassertropfen von der Kreiseloberfläche wegfliegen. Da die Erde sich ebenfalls dreht, wurde sie am Äquator von der Zentrifugalkraft leicht ausgebuchtet; allerdings zu einer Zeit in der fernen Vergangenheit, als sie noch nicht so verfestigt war wie jetzt. Seitdem hat die Erde die Ausbuchtung beibehalten. Am Äquator beträgt der Erddurchmesser 12 757 km, während die Pole 12 714 km voneinander entfernt sind. Diese Abplattung an den Polen verleiht der Erde die Gestalt eines ›Rotationsparaboloids‹. In den letzten Jahren haben genaue Messungen an Erdsatelliten gezeigt, daß die Erde zusätzlich zu dieser Abplattung birnenförmig ist mit dem spitzen Ende nach Norden. Überraschenderweise hat Christoph Columbus einmal die Meinung geäußert, die Erde hätte die Gestalt einer Birne. Es war eine reine Vermutung, aber sie hat sich als richtig erwiesen.

Wie wurde die Erde ursprünglich gebildet? Diese Frage ist offenbar Bestandteil der umfassenderen Frage, wie das ganze Sonnensystem entstanden ist. Viele verschiedene Theorien sind darüber aufgestellt worden, und die Astronomen sind sich immer noch nicht einig darüber, welches die beste ist. Die gegenwärtig am weitesten verbreitete ist die, daß es ursprünglich eine gewaltige rotierende Wolke aus Staub und Gas war. Die Massenanziehung ließ im Innern einen dichten Kern entstehen, der zur Sonne wurde. Währenddessen entstanden riesige Wirbel an verschiedenen Stellen der Wolke. Über Millionen von Jahren verdichteten sich die Wirbel zu kugelförmigen Körpern und wurden zu Planeten, während kleinere Wirbel um die Planeten sich zu deren Monden verdichteten.

Die Drehung der ursprünglichen Wolke würde erklären, warum alle Planeten und die meisten Monde ihre Bahn in derselben Richtung durchlaufen.

Die Erdatmosphäre war in vergangenen geologischen Zeitaltern, bevor Lebewesen erschienen, völlig anders zusammengesetzt. Jetzt besteht sie zu fast vier Fünftel aus Stickstoff. Sauerstoff macht rund ein Fünftel aus, und etwa ein Prozent enthält in wechselnder Menge Kohlendioxid, Wasserdampf, Argon und andere Gase.

Frage 1:

Rund drei Viertel der Erdoberfläche wird von den Meeren eingenommen. Stellen Sie sich vor, die Erde schrumpfte auf die Größe einer Billardkugel und würde mit einem Handtuch abgetrocknet. Wenn Sie Ihre Fingerspitzen über die Oberfläche gleiten ließen, könnten Sie dann die Berge und den Meeresboden fühlen?

Frage 2:

Wenn Sie auf die Spitze eines hohen Berges klettern, wiegen Sie geringfügig weniger als vorher, da die Erdanziehung abnimmt, wenn man sich von der Oberfläche entfernt.

Was geschieht mit Ihrem Gewicht, wenn Sie auf die Sohle eines tiefen Bergwerkes hinabsteigen? Ist es genauso groß wie an der Oberfläche, ist es größer oder kleiner?

Frage 3:

Der Teller einer Waage sei so groß, daß ein Pferd darauf stehen kann. Wenn ein Reiter und sein Pferd getrennt gewogen werden und ihr Gewicht zusammengezählt wird, ist die Summe eine Winzigkeit größer als wenn der Reiter auf sein Pferd steigt und die beiden zusammen gewogen werden. Können Sie erklären warum?

Frage 4:

Viele Science-fiction-Geschichten und Romane wurden über Tunnel geschrieben, die geradewegs durch den Erdmittelpunkt gehen und auf der anderen Seite wieder herauskommen. Wenn eine solche Röhre vom Nordpol zum Südpol führen würde, und Sie fielen auf der einen Seite in sie hinein, was genau würde mit Ihnen geschehen?

Sie erinnern sich vielleicht, daß Alice über diese Frage nachdachte, als sie das Kaninchenloch hinunter ins Wunderland fiel.

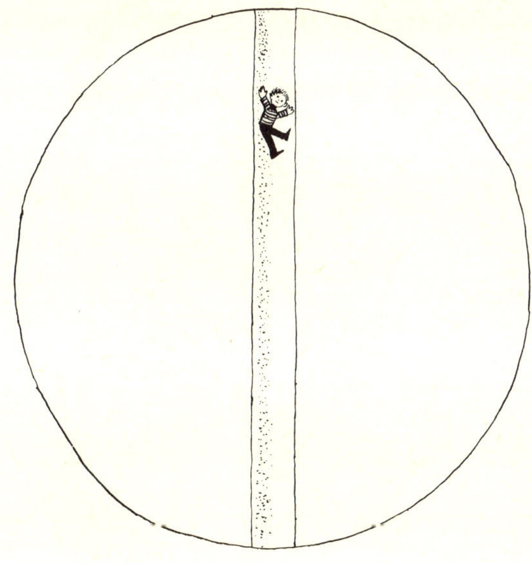

Frage 5:

Charles L. Dodgson, ein englischer Mathematiker, der die beiden Bücher über Alice im Wunderland unter dem Decknamen Lewis Carroll verfaßte, schrieb auch einen langen phantastischen Roman mit dem Titel ›Sylvie und Bruno‹. In der zweiten Hälfte seines Werkes erklärt ein schrulliger deutscher Professor die Funktionsweise eines ›Schwerkraftzuges‹:

»Jeder Zug befindet sich in einem langen, vollkommen geraden Tunnel, dessen Mitte folglich näher zum Erdmittelpunkt liegt als die beiden Enden. Daher fährt jeder Zug die Hälfte der Strecke bergab, und das gibt ihm genügend Schwung, um die andere Hälfte bergan zu fahren.« Würde solch ein Schwerkraftzug tatsächlich funktionieren?

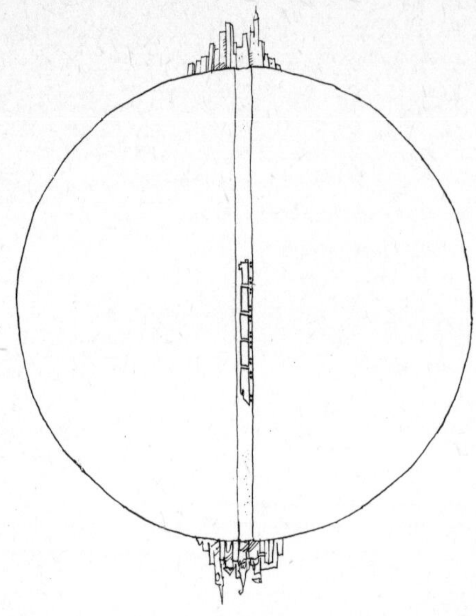

Frage 6:

Oft wird gesagt, daß ein Mensch, der auf dem Grund eines tiefen Brunnens steht und während des Tages hinaufschaut, die Sterne sehen könnte. Ist das wahr?

Frage 7:
Ein bestimmter Tisch wiegt zehn Pfund. Wenn man diesen Tisch in den Weltraum bringt und dann die Erde darauf legt, wieviel würde dann die Erde auf dem Tisch wiegen?

Meteorite

Ein Meteorit ist ein Stück Gestein oder Metall, das sich durch den Weltraum bewegt. Beim Eindringen in die Erdatmosphäre, mit einer höheren Geschwindigkeit als die einer Gewehrkugel, ist die

Reibung die Ursache für das Weißglühen und das Verdampfen des Meteoriten, wobei er einen glühenden Schweif aus Gas und Staub hinter sich zurückläßt. Man nennt dies eine ›Sternschnuppe‹ oder einen ›Meteor‹. Die meisten Sternschnuppen werden von Kügelchen erzeugt, die etwa die Größe einer Erbse haben. Wenn der Meteor sehr viel größer ist, kann es vorkommen, daß er nicht ganz verbrennt und Teile von ihm auf der Erde landen. Das sind dann die eigentlichen Meteorite.

Großer Meteoritenkrater in Arizona, auch bekannt als Cañon Diabolo, in der Nähe von Winslow, Arizona, USA.

In den USA gibt es einen großen Krater, der in der Nähe von Winslow, Arizona, liegt und von dem Einschlag eines riesigen Meteoriten vor fünfzigtausend oder mehr Jahren verursacht wurde. Im Juni 1908 schlug ein großer Meteorit – vielleicht war die plötzliche Hitze schuld, daß er in der Luft explodierte – in Sibirien auf und verwüstete einen riesigen Teil der Tundra. 1954 brach ein acht Pfund schwerer Meteorit durch das Dach eines Hauses in Sylacauga, Alabama, USA, und traf eine Hausfrau an der Hüfte, während sie auf dem Sofa lag. Glücklicherweise wurde sie nicht ernstlich verletzt. Es war der erste authentische Fall, bei dem eine Person tatsächlich von einem fallenden Meteoriten getroffen wurde. Wenn jemand geduldig genug ist, kann er in jeder klaren Nacht ein oder zwei Sternschnuppen sehen. Wenn die Erde aber an einem Schwarm von Meteoriten vorbeizieht, können Hunderte oder Tausende Sternschnuppen in einer einzigen Stunde gezählt werden. Dieses Ereignis nennt man einen ›Meteoritenschauer‹. Der größte Meteoritenschwarm (dem die Erde regelmäßig begegnet) bewegt sich auf einer elliptischen Bahn, die sich bis außerhalb der Umlaufbahn des Uranus erstreckt, um die Sonne. Die Meteorite sind auf ihrer Umlaufbahn auf eine ungeheuer große Strecke verstreut, so daß sich die Erde mit Sicherheit jeden November durch einen Teil des Schwarms bewegt. Normalerweise fängt die Erde einen spärlichen Teil ein, aber etwa alle 33 Jahre erwischt sie den dichtesten Teil des Schwarms, und dann zeigt sich am Himmel das wunderbare Schauspiel eines Feuerwerks. Die schönsten dieser Schauspiele waren 1866 und 1867, ein ansehnliches 1966. Ein weiteres Naturereignis ist um 1999 zu erwarten. Die Meteorite in diesem Schwarm werden Leonide genannt, weil man meint, sie kämen von einem Punkt aus dem Sternbild Leo, des Löwen, wenn sie in die Erdatmosphäre eindringen.

Frage 8:
Während eines Leonidenschauers sind die feurigen Schweife der Meteore sehr viel zahlreicher in den frühen Morgenstunden, von Mitternacht bis zum Sonnenaufgang, als in den späten Abendstunden, von Sonnenuntergang bis Mitternacht. Können Sie sich den Grund denken?

Der Meteorschauer der Leoniden vom 14. November 1867, wie er bei Sandy Hook, New Jersey, USA gesehen wurde.

KAPITEL 2

Die Sonne

Die Sonne ist der Stern, um den unsere Erde und ihre acht Schwesterplaneten kreisen. Verglichen mit den Milliarden anderen Sternen in unserer Galaxie ist die Sonne nur ein mittelgroßer Stern, aber verglichen mit der Erde ist sie eine riesige Kugel aus glühendem Gas mit einem Durchmesser von 1 390 000 km, etwas mehr als das Hundertfache des Erddurchmessers. Wenn wir uns die Erde von der Größe eines Senfkorns vorstellen, würde die Sonne so groß wie ein Fußball sein. Ihre Entfernung zur Erde beträgt rund 150 Millionen Kilometer. Ohne die enorme Energie und Wärme, die wir von der Sonne empfangen, wäre unsere Erde ein eisiger und lebloser Planet. Erst in den letzten Jahrzehnten haben die Wissenschaftler verstanden, woher die Energie der Sonne kommt. Die Sonne hat eine so große Masse, daß nahe beim Mittelpunkt die Schwerkraft groß genug ist, um die Wasserstoffatome zusammenzupressen, so daß der Wasserstoff dann in einem Prozeß, den wir ›Fusion‹ nennen, zu Helium wird. (Es ist derselbe Prozeß, der der Wasserstoffbombe ihre Sprengkraft verleiht.) Die Umwandlung setzt ungeheure Mengen Energie frei, die sich langsam ihren Weg zur Sonnenoberfläche bahnen, wo sie in alle Richtungen in den Raum ausgestrahlt werden. Eine extrem kleine Menge dieser Energie erreicht die Erde etwas später als acht Minuten, nachdem sie die Sonne verlassen hat. Die Temperatur im Zentrum der Sonne ist unvorstellbar hoch: wenigstens 14 Millionen Grad Celsius. Diese Temperatur verringert sich langsam, während die Energie nach außen wandert, bis sie nur noch rund 5000 Grad an der Sonnenoberfläche beträgt. Das ist immer noch heiß genug, um ein ganzes Raumschiff sofort verdampfen zu lassen.

Frage 9:

Es ist für die Astronomen leicht zu messen, wie schnell die Sonne sich um ihre eigene Achse dreht, weil ihre Sonnenflecken – riesige Gasstrudel, die sich immer wieder auf der Sonnenoberfläche bilden und auch wieder verschwinden – als dunkle Flecken lange genug sichtbar sind, damit die Astronomen ihre Bewegung in einem Teleskop verfolgen und ausrechnen können, wie schnell sich die Sonne dreht.

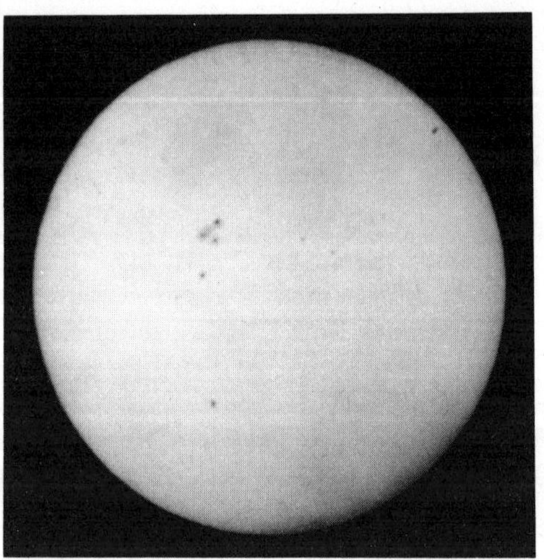

Die schwarzen Punkte sind Sonnenflecken, die sich auf der Sonnenoberfläche gebildet haben.

An ihrem Äquator dreht sich die Sonnenoberfläche einmal in 24 Tagen und 16 Stunden, nur ein paar Tage weniger als der Mond braucht, um die Erde zu umkreisen. Betrachten Sie die Oberfläche nahe bei den Polen. Dreht sie sich schneller, langsamer oder mit der gleichen Geschwindigkeit wie die Sonnenoberfläche am Äquator?

Frage 10:

Nehmen wir an, Sie leben an einer Straße, die genau von Osten nach Westen führt. Eines Septembertages, wenn das Laub anfängt, sich zu verfärben, beobachten Sie, daß die obere Hälfte der gerade untergehenden Sonne wie ein Teil eines riesigen roten Ballons genau über dem westlichen Ende der Stadt steht. Welchem Tag des Monats sind Sie nahe?

Frage 11:

Die Fleckenzahl auf der Sonne durchläuft einen Zyklus von elf Jahren. Ihre Größe und ihre Anzahl ändert sich unregelmäßig von Woche zu Woche, aber im Durchschnitt beträgt die Zeit zwischen den Perioden, wenn die Flecken am größten und häufigsten sind, rund elf Jahre. Wenn das Maximum erreicht ist, blasen ›magnetische Stürme‹ von der Sonne zu uns. Sie lassen das Nord- und Südlicht der Erde – die eindrucksvolle ›Aurora borealis‹ und ›Aurora australis‹, die sich bei den Polen am Nachthimmel zeigen – heller als normal leuchten und stören Rundfunk und andere elektromagnetische Medien.

Die Sonnenflecken haben sehr verschiedene Größe. 1947 wurde ein enormer Fleck gesehen, dessen Größe das Dreißigfache der Erdoberfläche betrug. Die meisten Sonnenflecken sind viel kleiner als dieser und bestehen nur ein paar Tage oder Wochen; einige aber bestehen doch mehrere Monate. Gelegentlich bleibt ein Fleck auch ein Jahr oder länger sichtbar.

Die Sonne hat ein schwaches Magnetfeld mit Nord- und Südpol wie die Erde. Welche merkwürdige Umwandlung geschieht mit den magnetischen Polen der Sonne alle elf Jahre, wenn der Sonnenfleckenzyklus seinen Höhepunkt erreicht?

Frage 12:

Wenn ein Neumond – das ist der Mond, der abgenommen hat, bis er unsichtbar ist – sich zwischen Sonne und Erde hindurchbewegt, kann er einem Teil oder dem ganzen Sonnenlicht den Weg versperren. Dieses Ereignis nennt man Sonnenfinsternis. Totale Sonnenfinsternisse sind viel seltener als partielle, bei denen die Sonne nur teilweise verdeckt wird. Es tritt nur in bestimmten Teilen der Erde ein, daß der sich bewegende Schatten des Mondes die Oberfläche

Totale Sonnenfinsternis

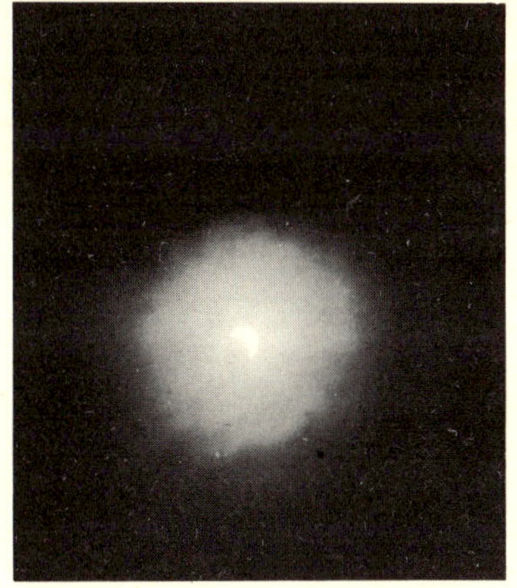

Links: Partielle Sonnenfinsternis mit der Sonne als Sichel.
Rechts: Kleine Sichelreflexe, die während einer partiellen Sonnenfinsternis durch die Blätter eines Baumes geworfen werden.

der Erde trifft und dafür sorgt, daß Beobachter entlang dieser ›Totalitätszone‹ eine totale Sonnenfinsternis sehen. Die letzte in Deutschland sichtbare war im Sommer 1887. Während einer totalen Sonnenfinsternis ist die Sonne völlig vom Mond verdeckt. Der Tag wird zur Nacht, Sterne werden sichtbar, Hunde bellen und Vögel fliegen zu ihren Schlafplätzen. In der Vergangenheit glaubten die Leute manchmal, daß die Sonne für immer verschwinden und die Erde untergehen würde.

Wenn während einer partiellen Sonnenfinsternis im Sommer, wenn die Sonne zur Sichel wird, Sonnenlicht durch die Äste eines Baumes scheint, kann man Hunderte winziger sichelförmiger Lichtreflexe auf dem Boden oder vielleicht an einer Mauer oder Häuserwand sehen. Können Sie dieses seltsame Phänomen erklären?

Frage 13:

Während einer totalen Sonnenfinsternis, unmittelbar bevor der Mond die Sonnenscheibe völlig verdeckt, kann man strahlende kleine Perlen aus Licht an dem Rand des sich vorwärts bewegenden Mondes beobachten. Die gleichen Perlen erscheinen später an dem hinteren Rand des Mondes, wenn der Mond anfängt, die Sonnenscheibe wieder freizugeben. Dieses Perlschnurphänomen wird nach Francis Baily, einem englischen Astronomen, der es während einer Finsternis im Jahre 1836 beobachtete, ›Baily's Beads‹ genannt. Können Sie sich denken, was das Perlschnurphänomen verursacht?

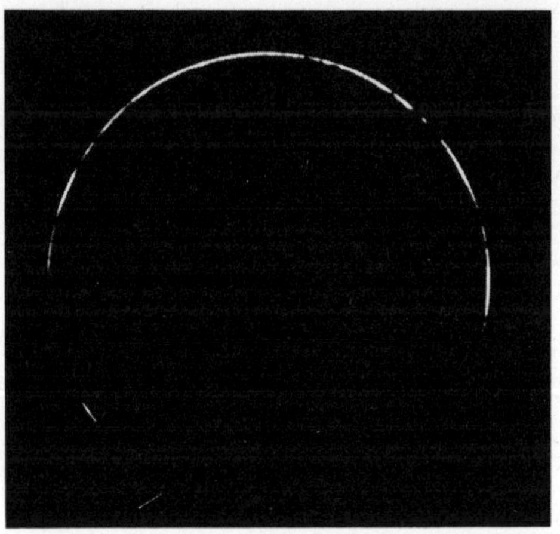

›Baily's Beads‹ beobachtet bei der Finsternis am 25. Februar 1952.

KAPITEL 3

Der Mond

Der Mond, der nächste Nachbar der Erde im Weltraum, hat eine mittlere Entfernung von rund 384 400 km von der Erde, aber seine Umlaufbahn ist elliptisch genug, um den Abstand zwischen 356 400 km und 406 700 km schwanken zu lassen. Sein Durchmesser, 3476 km, ist ein bißchen kleiner als ein Viertel des Erddurchmessers, und sein Volumen beträgt rund ein Fünzigstel von dem der Erde.

Der Mond braucht 27 Tage, 7 Stunden und 43 Minuten, um einmal die Erde zu umkreisen. Dies nennt man einen siderischen Monat. Weil die Erde sich während dieser Zeit weiter um die Sonne bewegt, muß der Mond immer etwas weiter wandern, um Sonne, Erde und Mond wieder in dieselbe gegenseitige Position wie vor dem Umlauf zu bringen. Deshalb ist die Zeit zwischen zwei Vollmonden länger als ein siderischer Monat. Sie beträgt 29 Tage, 12 Stunden und 44 Minuten, fast so lang wie jeder unserer Kalendermonate außer dem Februar. Die Astronomen nennen diese Zeitspanne einen synodischen Monat. Unser Wort ›Monat‹ wurde von dem Mond abgeleitet. Da der erste Tag der Woche, Sonntag, nach der Sonne benannt wurde, ist es nur natürlich, daß der zweite Tag der Woche, Montag, nach dem benannt wurde, das unser zweitwichtigstes Gestirn am Himmel ist.

Während der Mond um die Erde wandert, bescheint ihn die Sonne von verschiedenen Seiten, so daß wir den Mond von Nacht zu Nacht langsam zunehmen (immer mehr von ihm wird beschienen) und abnehmen (immer weniger von ihm leuchtet) sehen. Dies nennt man die ›Phasen‹ des Mondes. Wenn die beleuchtete Seite genau gegenüber der Erde ist, ist der Mond vollkommen dunkel, und wir nennen ihn ›Neumond‹. Dann bildet sich eine schmale Sichel und wird allmählich breiter, bis genau die Hälfte des Mondes beschienen ist. Das ist der Halbmond im ›ersten Viertel‹. Der helle Teil breitet sich weiter aus, zuletzt erscheint die vollständige Scheibe, und wir sagen, es ist ›Vollmond‹. Dann beginnt der Mond wieder abzunehmen, durchläuft als Halbmond das ›letzte Viertel‹, bis erneut Neumond ist.

Diese herrliche Aufnahme des Vollmondes wurde aus dem Raumschiff Apollo 11 auf dem Rückweg von der Mondlandung in einer Entfernung von 19 000 km gemacht.

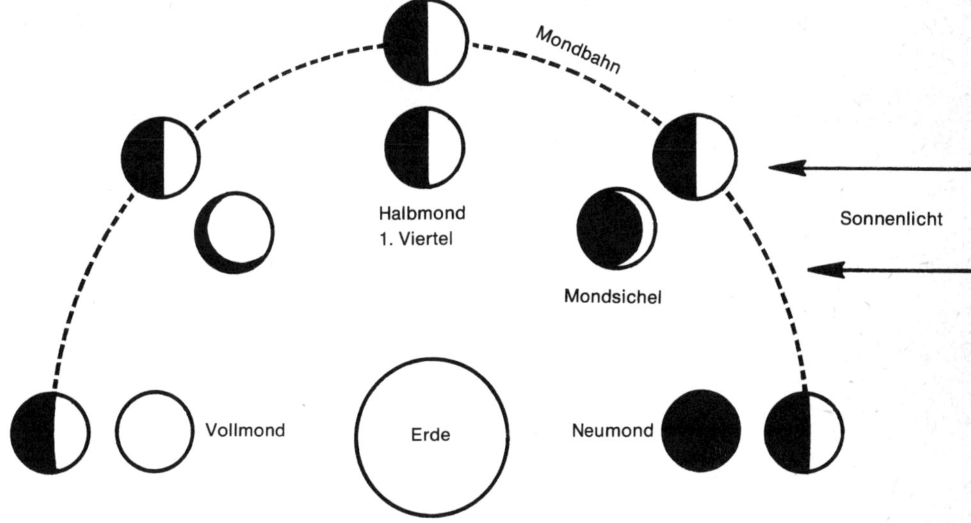

Die Mondphasen. Die äußeren Kreise zeigen an, welcher Teil des Mondes von der Sonne beschienen wird. Die inneren Kreise zeigen, wie der beschienene Teil von der Erde aus gesehen wird.

Was ist der Menschheit mehr nütze, die Sonne oder der Mond? Diese Frage ist die Grundlage eines Witzes, den der Physiker George Gamow in seinem ausgezeichneten Buch Geburt und Tod der Sonne erzählt. Ein Philosoph, schreibt Gamow, antwortete einst auf diese Frage, daß der Mond nützlicher sei. Warum? Weil er Licht in der Nacht gibt, wenn es gebraucht wird, während die Sonne nur am Tag scheint, wenn es ohnehin hell ist.

Wir wissen alle, daß auf dem Mond keine Atmosphäre und kein Leben ist und daß er von Millionen Kratern aller Größen bedeckt ist, von denen die meisten unzweifelhaft von Meteoriten verursacht wurden. Weil der Mond keine Atmosphäre zum Verbrennen der Meteoriten hat, treffen selbst die kleinsten auf seine Oberfläche. Der Mond erzeugt natürlich kein eigenes Licht. Das Mondlicht ist nur reflektiertes Sonnenlicht. »Der Mond ist ein durchtriebner

Die Mondoberfläche ist von Millionen von Kratern unterschiedlicher Größe bedeckt. In der Mitte des Bildes ist der Krater Lalande zu sehen, der als Landeplatz für spätere Mondlandeunternehmen vorgeschlagen worden war.

Dieb«, so hat es Shakespeare dargestellt, »und sein bleiches Feuer entreißt er der Sonne.«

Es wird nicht mehr lange dauern, und Menschen werden für lange Zeit auf dem Mond in einer künstlichen Atmosphäre unter einer Art schützenden Kuppel oder Mondhaus leben. Unser nächster Schritt nach außen von der Erde aus wird dann sicherlich zum Mars sein.

Frage 14:

Der Mond ist die Hauptursache für die Gezeiten. Seine Anziehungskraft, manchmal durch die Anziehungskraft der Sonne unterstützt, zieht das Wasser unserer Meere zu einem Wasserberg von 30 bis 40 cm Höhe zusammen. Während die Erde sich dreht, fließt diese ›Flut‹ um den Erdball.

Nicht viele Menschen wissen, daß zur gleichen Zeit, wenn ein Flutberg auf der dem Mond zugewandten Seite des Ozeans entsteht, ebenso auch ein Flutberg auf der dem Mond genau gegenüberliegenden Seite existiert. Können Sie den Grund für diese zweite seltsame Flut erklären?

Frage 15:

Als der Astronaut vorsichtig über die holperige Mondoberfläche ging, schaute er auf und sah Tausende hell funkelnder Sterne am schwarzen Nachthimmel. Im Westen schwebten ein paar zerzauste Wolken am Himmel, und eine sanfte Brise blies Mondstaub gegen das Glasfenster seines Helmes. Ein lautes, knallendes Geräusch ließ ihn sich umschauen, um zu sehen, was geschehen war. Sein Kamerad hatte nur einen großen Mondstein in zwei Teile zerlegt, indem

er mit einem Hammer auf ihn schlug. Im Osten war die fast ›neue‹ Erde zu sehen – sie hing tief am Himmel wie ein abgeschnittenes Stück eines gigantischen Fingernagels. Innerhalb der leuchtenden Erdsichel konnte er einige kleine Sterne sehen.

Wie viele grobe naturwissenschaftliche Schnitzer können Sie in dieser Geschichte finden?

Frage 16:

Wenn der Mond um die Erde kreist, behält er immer die gleiche Seite der Erde zugewandt (abgesehen von den geringen Schwankungen von Seite zu Seite, die als die ›Libration‹ des Mondes bekannt ist). Das ist der Grund, warum wir, bevor Raumsonden und Raumschiffe den Mond umfahren hatten, nicht in der Lage waren, die Rückseite zu photographieren, die nie vorher von der Erde aus gesehen worden war.

Wenn der Mond eine vollständige Umkreisung der Erde gemacht hat, wie oft hat sich dann der Mond gedreht?

Frage 17:

Wenn fast Neumond ist – d. h. wenn er eine äußerst schmale Lichtsichel ist –, kann man oft schwach den Rest der Mondscheibe sehen. In vergangenen Zeiten beschrieben die Menschen dies so, daß »der alte Mond in den Armen des neuen Mondes liegt«. Für abergläubische Seefahrer war dies ein schlechtes Vorzeichen. In einer Strophe der alten englischen Ballade Sir Patrick Spens heißt es:

Spät, spät gestern sah ich den neuen Mond
Mit dem alten Mond in seinen Armen
Und ich fürchte, ich fürchte, mein Herr,
Wir finden beim Schicksal kein Erbarmen.

Woher kommt das Licht, das es uns ermöglicht, den alten Mond in den Armen des neuen Mondes zu sehen?

»Der alte Mond in den Armen des Neumonds.« Die helle, schmale Sichel des Neumonds umschließt den schwächer beleuchteten Teil des Mondes.

Frage 18:

Stellen Sie sich eine Zukunft vor, in der Männer und Frauen in einer Basis auf dem Mond leben, mit Luft und Wärme versorgt, so daß sie keine lästigen Raumanzüge tragen müssen. In der Kolonie lebt ein Sportler, der auf der Erde zwei Meter hoch springen kann, aber nicht höher. Die Schwerkraft auf dem Mond beträgt nur ein Sechstel von der auf der Erde. Das bedeutet, daß ein Gegenstand, der in die Luft geworfen wird, sechsmal höher steigt als auf der Erde, wenn er mit derselben Kraft geworfen wird. Wenn man das alles berücksichtigt, kann der Sportler dann auf dem Mond zwölf Meter hoch springen?

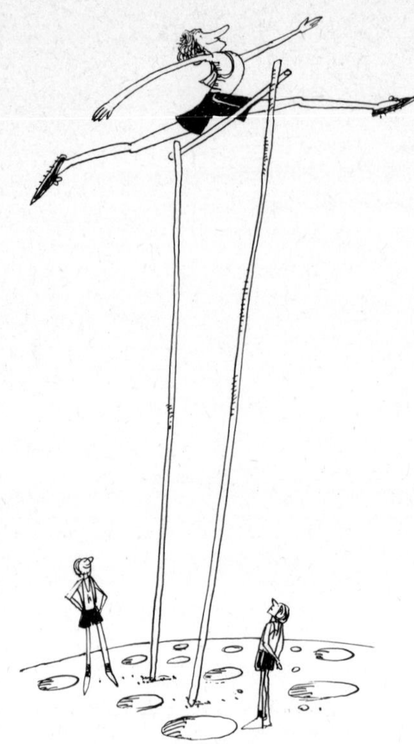

KAPITEL 4

Die anderen Planeten

Unser Sonnensystem besteht aus der Sonne, den neun Planeten mit ihren Monden und einer unbekannten Zahl von Planetoiden und Kometen. In der Antike und im Mittelalter waren nur die fünf Planeten – Merkur, Venus, Mars, Jupiter und Saturn – bekannt, die mit dem bloßen Auge sichtbar sind. Die drei äußersten Planeten – Uranus, Neptun und Pluto – waren bis 1781 nicht bekannt. In diesem Jahr wurde Uranus entdeckt. Gibt es weitere Planeten

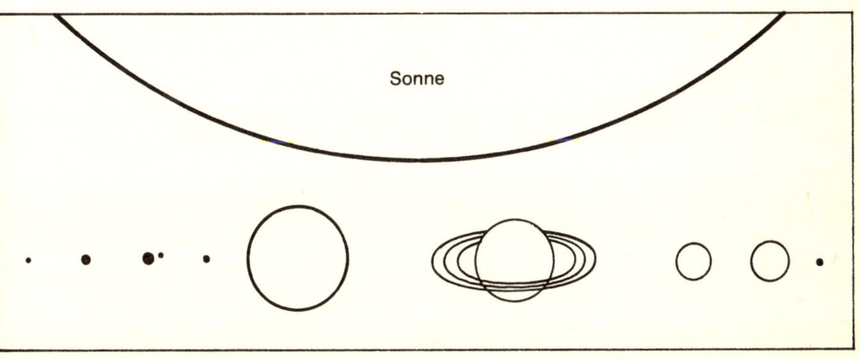

Die relative Größe der Sonne und der Planeten. Von links nach rechts sind es entsprechend der zunehmenden Entfernung von der Sonne die Planeten Merkur, Venus, Erde (mit Mond), Mars, Jupiter, Saturn, Uranus, Neptun und Pluto.

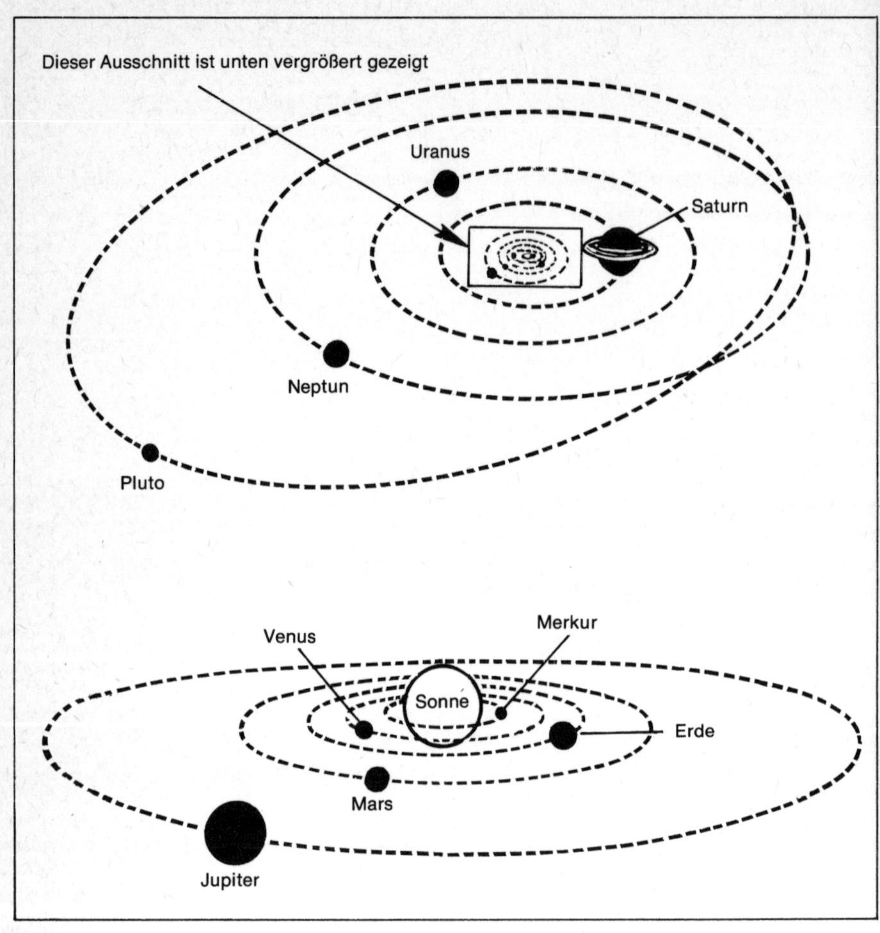

Die Bahnen der Planeten sind schwach elliptisch. Hier sind die Bahnen entsprechend ihrer relativen Entfernung von der Sonne gezeichnet.

außerhalb der Umlaufbahn des Pluto? Es könnte sein. Niemand weiß es genau. Ein kleiner Planet hinter dem Pluto könnte wahrscheinlich nicht einmal durch unsere besten Teleskope gesehen werden.

Das Wort ›Planet‹ kommt vom griechischen Wort für ›Wanderer‹. Die Planeten wurden so genannt, weil sie sich im Gegensatz zu den Fixsternen am Himmel auf unregelmäßigen Schleifenbahnen bewegen, die schwer zu berechnen waren, bis die Astronomen schließlich davon überzeugt wurden, daß die Sonne, nicht die Erde, der Mittelpunkt des Sonnensystems ist.

Die Planeten bewegen sich nicht auf exakten Kreisen, wie Galilei glaubte, sondern auf schwach elliptischen Bahnen, den Umlaufbahnen. Diese Umlaufbahnen sind fast kreisförmig, aber eben nicht ganz genau. Merkur und Pluto, der dichteste und der am weitesten von der Sonne entfernte Planet, haben Bahnen, die am meisten von einem Kreis abweichen. Die Bahn der Venus ähnelt am stärksten einem Kreis. Wenn man die Venusbahn maßstäblich auf einem Stück Schreibmaschinenpapier aufzeichnen sollte, könnte man durch Nachmessen nicht herausfinden, ob sie von einem Kreis abweicht.

Frage 19:

Diese und die nächsten zwei Fragen sind Wortpuzzles über die Planeten, die Sie vielleicht amüsant finden. Wir werden zu einigen ernsthafteren Problemen in Frage 22 zurückkehren.

Welches ist die Bedeutung der folgenden Buchstabenreihe?

MVEMJ<u>SUN</u>P

Das unterstrichene englische Wort ›Sun‹ – Sonne – kann als Hinweis dienen.

Frage 20:

Welche zwei Planeten haben Namen, deren Buchstaben man, wenn man nur einen Buchstaben des einen Namens abändert, neu ordnen kann und dann den Namen des anderen Planeten erhält?

Frage 21:

Eines Tages, als ich mit einem Flugzeug flog, stellte ich fest, daß ich zwischen zwei Damen saß. Die eine sagte, sie käme von Mars, die andere sagte, sie käme von Venus. Sagten sie die Wahrheit?

Merkur

Merkur ist der Planet, der der Sonne am nächsten ist. Er ist der kleinste und bewegt sich am schnellsten. Wegen seiner Geschwindigkeit benannten die Griechen ihn nach ihrem Gott Hermes (Merkur ist der römische Name), dem Götterboten, denn die geflügelten Füße befähigten ihn, schnell über den Himmel zu reisen. Der kleine Planet hat einen Durchmesser von 4840 km. Er hat keine Atmosphäre und läßt sich ohne Fernrohr schlecht beobachten, weil er der Sonne so nahe ist. Wie die Venus und unser Mond durchläuft er ›Phasen‹, nimmt an Helligkeit zu und ab, wenn mehr oder weniger seiner Oberfläche von der Sonne beleuchtet wird. Merkur braucht 88 Tage, um die Sonne einmal zu umkreisen.

Etwa dreizehn oder vierzehn Mal in einem Jahrhundert führt die Bahn des Merkur, von der Erde gesehen, quer durch die Sonnenscheibe. Das wird ein ›Durchgang‹ genannt. Während eines Durchgangs erscheint Merkur im Teleskop (wenn man geeignete Filter benutzt, um die Sonnenhelligkeit auf ein für das Auge ungefährliches Maß herabzusetzen) als ein winzig kleiner schwarzer Fleck, der langsam auf der Sonne entlangwandert. Durchgänge des Merkur können nur im Mai oder November stattfinden. Die letzten beiden waren am 9. Mai 1970 und am 9. November 1973. Durchgänge im

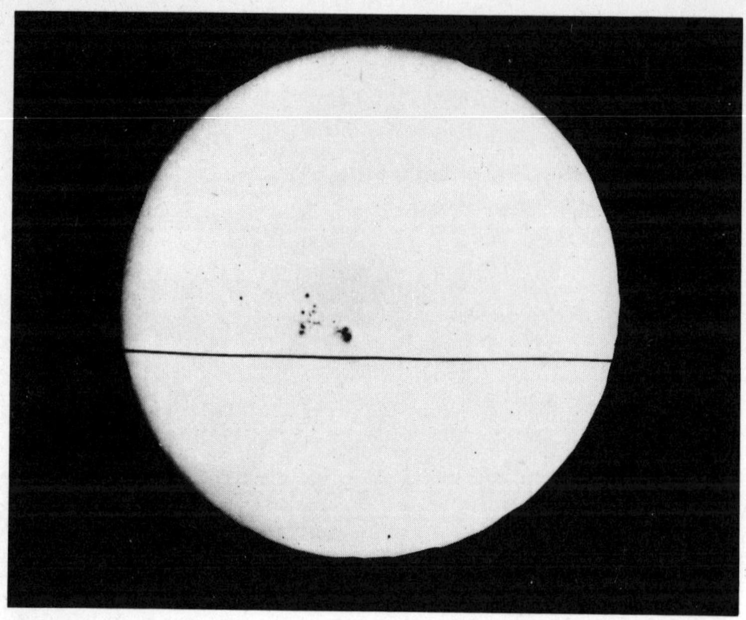

Merkur, der kleine schwarze Punkt am unteren Rand, hat einen Durchgang durch die Sonnenscheibe und bewegt sich nach rechts. Die schwarze waagerechte Linie wird durch die Kamera erzeugt; schwarze Punkte oberhalb dieser Linie sind Sonnenflecken.

Mai finden in diesem Jahrhundert nicht mehr statt, aber im November gibt es noch drei: 12. November 1986, 5. November 1993 und 14. November 1999.

Frage 22:

Fünfundsiebzig Jahre lang glaubten die Astronomen, daß der Merkur der Sonne immer dieselbe Seite zukehrt, so wie unser Mond der Erde dieselbe Seite zukehrt. Wenn dies so wäre, würde der Merkur auf der einen Seite zu heiß und auf der anderen Seite zu kalt sein, um Leben zu unterhalten. Wie es auch sein mag, zwischen beiden

Seiten könnte ein Gürtel fortwährender Dämmerung bestehen, in dem das Klima mild genug wäre, um Leben gedeihen zu lassen. Viele Science-fiction-Erzählungen sind über diese Dämmerungszone geschrieben worden.

Hat der Merkur eine Dämmerungszone?

Venus

Venus heißt manchmal ›Morgenstern‹ und manchmal ›Abendstern‹, weil sie so nahe bei der Sonne ist, daß man sie nur bei Sonnenaufgang und Sonnenuntergang sehen kann. Wie Merkur und unser Mond durchläuft sie Phasen. Wenn die Venus ›voll‹ ist, strahlt sie

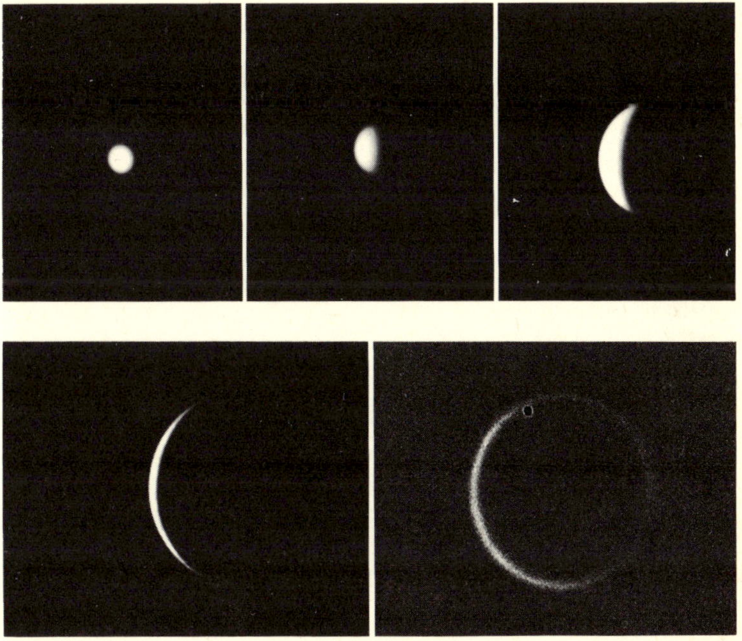

Venus in fünf verschiedenen Phasen

wie ein heller Stern nahe dem Horizont. Die Griechen nannten sie Aphrodite nach der Göttin der Liebe und Schönheit, die die Römer Venus nannten.

Venus gleicht dem Merkur, indem auch sie keinen Mond hat, aber im Gegensatz zu Merkur hat die Venus eine Atmosphäre. Sie ist dicht und heiß. Ihre genaue Zusammensetzung ist noch unbekannt, doch Raumsonden haben herausgefunden, daß sie aus rund 95% Kohlendioxid besteht, vermischt mit kleinen Anteilen anderer Gase. Über der Luft der Venus sind gelbliche Wolken, vielleicht aus Staub, Eiskristallen oder aus Teilchen einer anderen Substanz zusammengesetzt. Diese Wolken sind so dicht, daß sie noch nie eine Lücke ließen, durch die ein Astronom auch nur einen flüchtigen Blick auf die Oberfläche werfen konnte. Neuere Radarbeobachtungen jedoch legen die Vermutung nahe, daß die Venus mindestens zwei Bergketten habe, jede ungefähr von der Größe der Rocky Mountains. Nur wenig ist sonst von der Oberfläche des Planeten bekannt.

Die dicken, wirbelnden Wolken der Venus lassen die Sonnenstrahlung hindurchtreten und die Oberfläche des Planeten sich erwärmen, aber dieselben Wolken hindern die Wärme am Austreten aus der Atmosphäre. Diese Erscheinung nennt man ›Treibhauseffekt‹, weil die dicken Scheiben eines Treibhauses die Wärme im Innern ganz ähnlich einfangen. Die Folge ist, daß die Oberfläche der Venus zu heiß und trocken ist, um Leben, wie wir es kennen, gedeihen zu lassen. Im Dezember 1970 machte die russische Raumsonde Venera 7 eine weiche Landung auf der Venus und übermittelte Daten über mehr als zwanzig Minuten. Es war das erste Mal, daß naturwissenschaftliche Informationen von der Oberfläche eines anderen Planeten zur Erde gesendet wurden. Die Informationen ergaben eine Oberflächentemperatur auf der sonnenabgewandten Seite der Venus von 453 bis 495 Grad Celsius und einen zermalmenden Atmosphärendruck, der neunzigmal so hoch ist wie auf der Erde. Einige Astronomen haben in Erwägung gezogen, daß dort kleine Organismen leben könnten, die in kühleren Schichten der Atmosphäre über der Oberfläche schweben.

Venus ist der Planet, der der Erde an Größe am meisten ähnelt. Ihr Durchmesser von rund 12 000 km ist nur ein paar hundert Kilometer kleiner als der der Erde. Von allen Planeten ist Venus derjenige, der sich uns am meisten nähert. Selten – viel seltener als der Merkur – hat die Venus einen Durchgang durch die Sonnenscheibe. Der letzte Durchgang der Venus war 1882. Bis zum 8. Juni 2004 wird es keinen weiteren Durchgang mehr geben.

Frage 23:

Der wahre Sachverhalt der Venusdrehung wurde erst bekannt, als 1965 Astronomen Radarstrahlen auf verschiedene Seiten der Venus sendeten, um genau zu bestimmen, wie schnell sie sich dreht. Die Ergebnisse waren erstaunlich. Wissen Sie, was sich ergab?

Mars

Obgleich der Mars beträchtlich kleiner ist als die Erde, ist er derjenige andere Planet, der am wahrscheinlichsten eine Art Leben beherbergt. Gewöhnlich ist es kalt auf der Oberfläche des Mars, durchaus kälter als gelegentlicher Nachtfrost, aber nicht zu kalt für ein Leben. Der Mars hat eine dünne Atmosphäre, die hauptsächlich aus Kohlendioxid besteht, fast ohne Sauerstoff und Wasserdampf. Es wurden bis jetzt noch keine Spuren von Stickstoff gefunden, obwohl wahrscheinlich etwas Stickstoff vorhanden ist.

Der Grund für die dünne Atmosphäre des Mars ist die geringe Schwerkraft: nur etwa ein Drittel der Schwerkraft der Erde. Sie ist zu schwach, um Sauerstoff und Stickstoff vom Entweichen in den Weltraum abzuhalten. Auf der anderen Seite hat der Mars im

Winter Polkappen; man glaubt, es seien Schneedecken aus Trockeneis (festes Kohlendioxid), die im Marsfrühling verschwinden. Das Abschmelzen dieser Kappen könnte genug Wasser erzeugen, um eine primitive, vielleicht mikroskopische Form von pflanzlichem oder tierischem Leben zu erhalten, oder eine Lebensform dazwischen, von der wir nicht wüßten, ob wir sie als Pflanze oder Tier bezeichnen sollten. Dunkle Flecken auf der Marsoberfläche wechseln ihre Farbe mit den Jahreszeiten. Manche Astronomen glauben, daß dies auf Vegetation hinweist, aber das Wechseln der Farbe könnte auch von geologischen Prozessen herrühren, die wir nicht verstehen, bevor Astronauten den Planet erforscht haben.

Der Mars hat einen Durchmesser von 6770 km. Wie die Erde ist auch der Mars an seinen Polen etwas abgeflacht. Der Tag auf dem Mars ist fast genauso lang wie auf der Erde: 24 Stunden, 37 Minuten und 22 Sekunden, aber ein Marsjahr (die Zeit, in der er die Sonne umkreist) ist fast zweimal so lang wie auf der Erde: 687 Tage. Wegen seiner rötlichen Farbe, die an Blut erinnert, wurde er von den Alten nach Ares oder Mars, dem Kriegsgott, benannt.

Der Mars hat zwei kleine Monde. Sie wurden erst 1877 entdeckt, obwohl mehr als ein Jahrhundert vorher, 1726, Jonathan Swift in seinem Buch Gullivers Reisen tatsächlich die bemerkenswerte Vermutung äußerte, daß der Mars zwei Monde hätte. Er war auch nahe daran, ihre Umlaufzeiten zu erraten.

Gulliver stellte es im dritten Kapitel seiner Reise nach Laputa folgendermaßen dar:

> Sie (die Laputaner) haben gleicherweise zwei kleinere Sterne oder Trabanten entdeckt, die den Mars umkreisen, wovon der innere ... in einem Zeitraum von zehn Stunden umläuft, der letztere in einundzwanzigeinhalb ...

Gegenüberliegende Abbildung: Die Polkappen des Mars (heller Fleck oben an jeder Kugel), wie sie im Frühling anfangen zu schmelzen (vier Photos links) und dann langsam im Sommer verschwinden (vier Photos rechts).

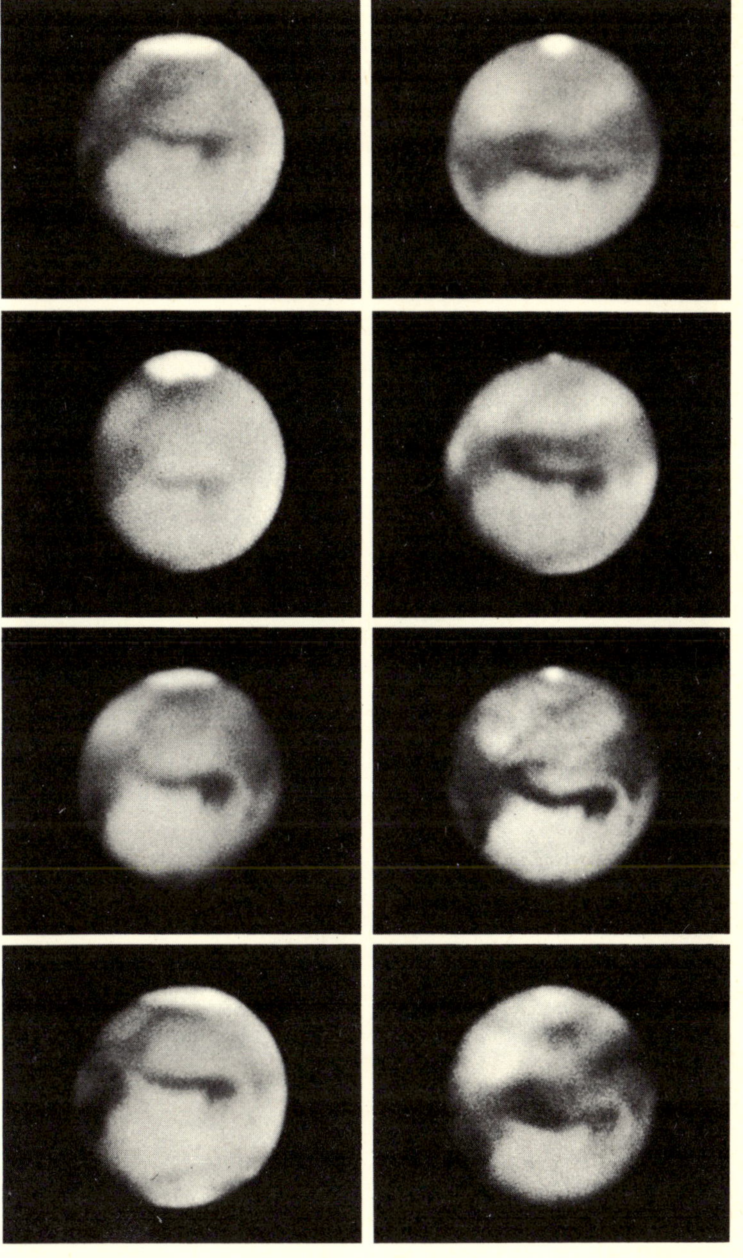

Die beiden Marsmonde werden nun nach den Pferden, die, wie die alten Griechen glaubten, den Streitwagen des Mars gezogen haben sollen, Phobos und Deimos genannt. Letzte Beobachtungen ergaben, daß Phobos unregelmäßig geformt ist, mit Durchmessern zwischen etwa 22,5 und 18 km. Deimos hat einen Durchmesser von rund 8 km. Phobos ist der einzig bekannte Mond im Sonnensystem, der seinen Planeten schneller umkreist, als der Planet sich dreht. Tatsächlich rast Phobos dreimal um den Mars, während der Planet sich einmal dreht. Obwohl Phobos sich in die gleiche Richtung wie der Mars dreht, würden Astronauten auf dem Mars Phobos im Westen aufgehen sehen, er bliebe nur etwa fünfeinhalb Stunden am Himmel und ginge dann im Osten unter! (Deimos geht im Osten auf und bleibt etwa zwei Tage über dem Marshorizont.) Dieses seltsame Verhalten von Phobos und andere ungewöhnliche Tatsachen der zwei Monde ließen einen russischen Astronomen 1950 ernsthaft vermuten, daß die beiden Monde Weltraumstationen sein könnten, die von Marsbewohnern gebaut worden waren. Er argumentierte, daß vielleicht Marsbewohner sie zu einem weit zurückliegenden Zeitpunkt als Startrampen gebaut hatten, um von ihrem Planeten zu entfliehen, als er zu trocken wurde, um sie zu ernähren. Dei meisten Astronomen meinen, daß dies nicht sehr wahrscheinlich ist.

Frage 24:

Sie haben sicherlich schon von den berühmten ›Kanälen‹ des Mars gehört, die so oft in Science-fiction-Erzählungen beschrieben werden. Wie lautet die letzte Information über diese Kanäle?

Jupiter

Jupiter, nach dem obersten Gott der Römer benannt (er entsprach dem griechischen Gott Zeus), ist der größte Planet. Er ist so groß, daß alle anderen Planeten, zu einer Kugel zusammengedrückt, immer noch kleiner wären als er. Er ist an den Polen so viel mehr abgeplattet als Mars und die Erde, daß er die Form einer Pampelmuse hat. Am Äquator beträgt sein Durchmesser rund 144 000 km, die Entfernung der Pole dagegen ist etwa 9000 km kleiner. Diese Ausbuchtung am Äquator wird durch die ungewöhnlich schnelle Drehung des Planeten verursacht: Eine Umdrehung in etwas weniger als zehn Stunden. Ein Jupiterjahr dauert fast zwölf Erdenjahre.

Jupiters Atmosphäre, vielleicht Tausende von Kilometern dick, setzt sich zusammen aus Gasen wie Wasserstoff, Helium, Methan und Ammoniak. Die schnelle Drehung des Planeten veranlaßt die Atmosphäre, rund ein Dutzend Bänder oder Streifen zu bilden, die alle ungefähr parallel zum Äquator verlaufen und sich durch die Tönungen rostrot, gelb, orange, braun und weiß unterscheiden. Die Bänder ändern von Zeit zu Zeit ihre Anzahl, Breite, Farbe und sogar die Drehgeschwindigkeit. Manchmal erscheinen grünliche oder bläuliche Flecken für einige Zeit auf den Bändern, um später wieder zu verschwinden.

In der dicken, turbulenten Atmosphäre des Jupiter gibt es fürchterliche Stürme, begleitet von heftigen Energieausbrüchen, die wir in unseren Radioteleskopen erkennen können. Einige Astronomen glauben, daß diese krachenden Geräusche im Bereich der Radiowellen von gewaltigen Blitzen auf dem Planeten herkommen. Andere Astronomen meinen, daß die Geräusche durch Vulkanausbrüche auf dem Jupiter erzeugt werden.

Die Dicke der Jupiteratmosphäre hat jeden auch noch so kurzen Blick auf seine Oberfläche verhindert. Viele Fachleute bleiben bei der Ansicht, daß der Jupiter gar keine ›Oberfläche‹ hat. Es kann sein, daß die Atmosphäre in größeren Tiefen einfach dichter wird, langsam von Gas in Flüssigkeit übergeht, und daß der flüssige Teil des Planeten in noch größerer Tiefe langsam fest wird. Vielleicht gibt es einen inneren Kern, der von dem enormen Druck, der von der Schwerkraft des Jupiter erzeugt wird, bis zum flüssigen Zustand erhitzt worden ist. Wenn aber Jupiter eine richtige feste Oberfläche hat, auf der ein Astronaut stehen kann, dann würde dieser Schwierigkeiten haben, auf seinen Beinen zu bleiben. Ein Mann von 80 kg auf der Erde würde auf dem Jupiter etwa 210 kg wiegen.

Wie heiß oder kalt ist die Oberfläche des Jupiter, vorausgesetzt, er hat eine? Auch dies ist eine vieldiskutierte Frage. Während vieler Jahre nahmen die Astronomen an, daß wegen der großen Entfernung von der Sonne die Oberflächentemperatur weit unter dem Gefrierpunkt läge, viel zu kalt, um Leben zu unterhalten. Letzte Beobachtungen jedoch haben die Vermutung nahegelegt, daß der Treibhauseffekt (schon oben im Zusammenhang mit der Venus erwähnt) die Oberfläche des Jupiter für Leben, wie wir es auf der Erde kennen, zu heiß hat werden lassen. Es kann sich herausstellen, wenn es keine eigentliche Oberfläche gibt, daß die Temperatur in den äußersten Schichten sehr gering ist und dann in Richtung auf das Innere langsam steigt. Wenn das so ist, dann kann es eine Schicht geben, vielleicht ist sie sogar fest, in der das Klima gemäßigt genug ist um zuzulassen, daß sich Leben entwickelt – eine aufregende Möglichkeit, die den Astronomen erst in allerletzter Zeit wahrscheinlich erschien.

Jupiter hat zwölf Monde* – mehr als jeder andere Planet. Die vier größten – Io, Europa, Ganymed und Kallisto – wurden zuerst von Galilei 1610 gesehen, als er sich Jupiter durch ein primitives Fernrohr anguckte, das er sich selbst gebaut hatte. (Galilei hat nicht, wie man oft glaubt, das Fernrohr erfunden. Fernrohre wurden schon vorher in Europa als Spielzeug verkauft. Die Leistung

---

* ein dreizehnter wurde im September 1974, ein vierzehnter im März 1979 entdeckt (Anm. des Übersetzers).

Die vier helleren Monde des Jupiter in drei verschiedenen Stellungen im Umlauf um den Planeten.

Galileis besteht darin, ein viel besseres Fernrohr konstruiert zu haben als jeder vor ihm.) Sie können die vier größten Jupitermonde heute durch einen starken Feldstecher beobachten. Die Jupitermonde spielten eine bedeutende Rolle bei der ersten Bestimmung der Lichtgeschwindigkeit. Im Jahre 1675 benutzte Ole Römer, ein dänischer Astronom, die Änderung in der Umlaufzeit der Jupitermonde, um zu berechnen, wie schnell das Licht sich fortbewegt.

Die äußersten vier Monde, die alle etwa 24 Millionen Kilometer entfernt sind, umkreisen den Planeten ›rückläufig‹. Schaut man von oben auf Jupiters Nordpol, dann laufen sie im Uhrzeigersinn und nicht gegen den Uhrzeigersinn wie alle Planeten und alle anderen Monde im Sonnensystem mit Ausnahme (wie wir sehen werden) eines Mondes des Saturn und des Neptun.

Frage 25:
Was ist der Große Rote Fleck des Jupiter?

Saturn

Der Saturn mit seinen wunderschönen Ringen ist, wenn man durchs Fernrohr blickt, derjenige Planet, der am meisten ins Auge fällt. Wir werden gleich auf die Ringe kommen. Zuerst ein paar grundlegende Tatsachen.

Saturn ist der zweitgrößte Planet und ist benannt nach dem Gott, der der Vater von Jupiter war. Saturn dreht sich so schnell – einmal in wenig mehr als zehn Stunden –, daß er am Äquator fast so stark ausgebuchtet ist wie Jupiter. Die Entfernung der Pole beträgt 109 000 km, der Durchmesser am Äquator 121 000 km. Das Saturnjahr dauert 29,5 Erdenjahre.

Wie die anderen drei größeren Planeten – Jupiter, Neptun und Uranus – hat Saturn eine wesentlich geringere Dichte als die Erde und die anderen kleinen Planeten. (Die Dichte eines Körpers ist seine Masse, geteilt durch sein Volumen.) Er ist der einzige Planet, dessen Dichte kleiner ist als die von Wasser. Das bedeutet, daß der Saturn tatsächlich auf dem Wasser schwimmen würde – wenn es irgendwo einen Ozean geben würde, der groß genug wäre, ihn aufzunehmen.

Die Atmosphäre des Saturn ist Tausende von Kilometern dick. Sie ist in ihrer chemischen Zusammensetzung wahrscheinlich ähnlich der des Jupiter. Die rasche Drehung des Planeten verursacht Wolkenbänder wie auf dem Jupiter, obwohl die Bänder für uns nicht so klar zu sehen sind. Keiner weiß, wie seine Oberfläche aussieht oder ob er eine hat. Wie bei Jupiter kann es sein, daß er einfach mit der Tiefe dichter wird.

Saturn hat zehn Monde. Der zehnte, Janus, wurde erst 1966 entdeckt. Der neunte Mond, Phoebe (1898 gefunden), kreist ›rückläufig‹ wie Jupiters vier äußerste Monde. Titan, etwa von derselben Größe wie Merkur, ist der einzige Mond im Sonnensystem, von dem man weiß, daß er eine Atmosphäre hat. Sie besteht wahrscheinlich aus Methan, das man als Raketentreibstoff benutzen kann. Das

Saturn mit seinen Ringen

brachte Arthur C. Clarke, einen bekannten Science-fiction-Autor, zu der Überlegung, daß eines Tages unsere Astronauten Titan als Zwischenlandebasis benutzen könnten, um ihre Raumschiffe wieder aufzutanken.

Japetus, ein anderer Mond des Saturn, hat die seltsame Eigenschaft, daß er auf der einen Seite der Umlaufbahn sechsmal heller wird als auf der anderen. Keiner weiß warum. Wenn Sie den Film 2001 Odyssee im Weltraum gesehen oder Clarkes Roman gelesen haben, der nach dem Film geschrieben wurde (der wiederum nach einer früheren Kurzgeschichte von Clarke gedreht wurde), werden Sie die bedeutende Rolle kennen, die Japetus in dieser Geschichte einnahm: Ein künstlicher Satellit, von außerirdischen Wesen gebaut, um ein Signal von einem Monolithen zu empfangen, der sich auf unserem Mond befindet, und um das Raumschiff von der Erde aufzunehmen, wenn es beim Saturn ankommt.

Die erstaunlichen Ringe des Saturn wurden zuerst 1610 von Galilei gesehen, als er die vier größten Jupitermonde erblickte. Sein Fernrohr war jedoch unglücklicherweise zu schwach als daß er sie als Ringe hätte erkennen können. Er glaubte, Saturn bestünde noch aus zwei kleineren Körpern, die an beiden Seiten hervorragten. Später erkannten Astronomen mit besseren Fernrohren die drei verschiedenen Ringe. Der innere Ring ist schwächer und kann nur durch ein starkes Teleskop beobachtet werden. Er ist 18 000 km breit. Dann kommt eine Lücke von fast 2000 km, die den inneren Ring von dem hellen mittleren Ring trennt, der rund 29 000 km breit ist. Jenseits einer viel breiteren zweiten Lücke von rund 3000 km, die Cassini-Teilung genannt wird, folgt der äußere Ring, 19 000 km breit. 1969 wurde ein vierter Ring, der fast den Planeten berührt und sehr schwach ist, von einem französischen Astronomen beobachtet.

Die vier Ringe liegen in der Äquatorebene des Saturn. Sie sind durchscheinend (Sterne können manchmal durch sie hindurch gesehen werden) und sie sind wahrscheinlich aus Teilchen von der Größe von Sandkörnern zusammengesetzt. Die meisten Astronomen glauben, daß es Staubteilchen sind und eine Sorte von Eiskristallen. Es gibt keine Einigkeit darüber, wie die Ringe entstanden sind. Vielleicht ist ein früherer Mond von den starken Anziehungs- und Zentrifugalkräften zerrissen worden, als er dem Planeten zu nahe kam. Vielleicht handelt es sich auch um ursprüngliche Materie, die sich nie zu einem Mond zusammengeballt hat. Wenn die letzte Theorie richtig sein sollte, wäre es möglich, daß auch andere Planeten einschließlich der Erde einst Ringe wie der Saturn besaßen.*

---

* Auf den Aufnahmen der Raumsonde Voyager 1 vom 5. März 1979 entdeckten Wissenschaftler des Jet Propulsion Laboratory am California Institute of Technology einen Ring des *Jupiter* von 30 km Dicke und einem Durchmesser von 280 000 km (Anm. des Übersetzers).

Nachdem Galilei stolz seine Entdeckung verkündet hatte, daß Saturn noch zwei kleinere Körper an jeder Seite hätte, war er höchst erstaunt und bestürzt, als er zwei Jahre später fand, daß beide Körper völlig verschwunden waren! Der Planet war eine bloße Kugel. Es gab kein Zeichen von irgend etwas anderem.

> Was (so schrieb Galilei) soll man über solch eine seltsame Metamorphose sagen? Sind die beiden kleineren Sterne verzehrt wie Sonnenflecken? Sind sie plötzlich geflohen und verschwunden? Hat Saturn vielleicht seine eigenen Kinder gefressen? Oder waren diese Erscheinungen tatsächlich Täuschung und Betrug, mit denen das Teleskop mich so lange getäuscht hat und viele andere, denen ich es gezeigt habe? ... Ich weiß nicht, was ich in einem solchen Fall sagen soll, der so überraschend, so unvorhergesehen, so neuartig ist. Die Kürze der Zeit, die unerwartete Natur des Ereignisses und die Furcht, einem Irrtum unterlegen zu sein, haben mich völlig verwirrt.

Frage 26:

Aber der arme Galilei hat sich nicht geirrt. Können Sie raten, was geschehen war, daß die Saturnringe auf so geheimnisvolle Art verschwanden?

Uranus, Neptun und Pluto

Uranus kann man nur mit einem Fernrohr sehen, es sei denn, man hat sehr gute Augen und der Nachthimmel ist ungewöhnlich klar. Er wurde als Planet erst 1781 entdeckt. Sein Entdecker war kein Berufsastronom, sondern ein englischer Musiker, William Herschel, der die Astronomie zu seinem Hobby gemacht hatte. Er

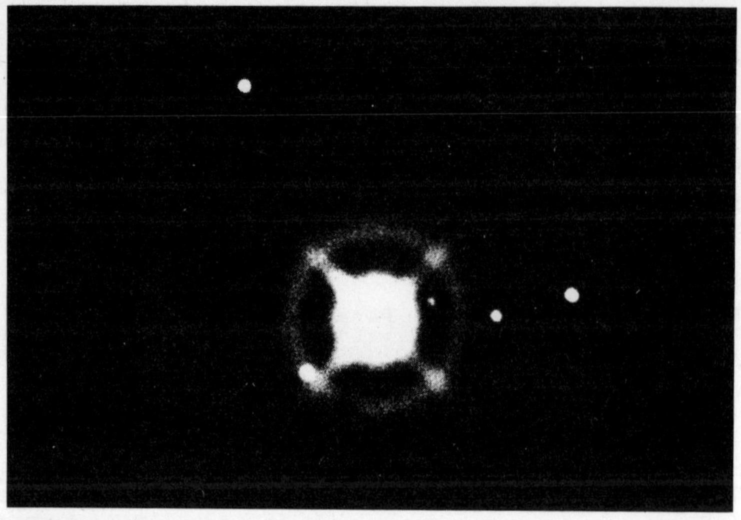

Uranus mit seinen fünf bekannten Monden. Miranda, der kleinste der Monde und der zuletzt entdeckte, ist der kleine weiße Fleck innerhalb des Ringes. Der Ring (Lichthof genannt) wird durch die Optik der Kamera verursacht.

entdeckte den Planeten mit einem kleinen, selbstgebauten Fernrohr. Der Planet wurde nach dem griechischen Himmelsgott benannt. (Der Name wird gewöhnlich falsch ausgesprochen. Die erste Silbe ist betont, nicht die zweite.)

Über Uranus weiß man wenig mehr als seinen Durchmesser (rund 47 500 km), seine Umdrehungszeit (wie die des Saturn, etwas über zehn Stunden) und seine Umlaufzeit um die Sonne (84 Erdenjahre). Die merkwürdigste Eigenschaft des Uranus ist die, daß seine Drehachse sich so genau in der Ebene des Sonnensystems befindet, daß man jedes Ende Norden nennen könnte. Aus diesem Grund kann man auch nicht richtig sagen, in welche Richtung er sich dreht. Er hat fünf Monde, die alle den Planeten in derselben Richtung umkreisen, in der er sich dreht. Mirande (benannt nach der Heldin in Shakespeares Sturm) wurde zuletzt entdeckt. Sie ist der kleinste der Uranusmonde und liegt dem Planeten am nächsten.

Neptun und Pluto sind nur im Teleskop zu erkennen. Neptun, nach dem römischen Meeresgott benannt, wurde 1845 entdeckt, nachdem Astronomen vermutet hatten, daß es ihn gäbe. Denn sie hatten eine Unregelmäßigkeit in der Umlaufbahn des Uranus entdeckt, die nur durch die Anziehungskraft eines noch weiter entfernten Planeten verursacht worden sein konnte. Neptun hat einen Durchmesser von rund 45 000 km, eine Umdrehungszeit von fast 16 Stunden, und ein Jahr entspricht etwa 165 Erdenjahren. Triton, der größere seiner zwei Monde, kreist ›rückläufig‹ um den Planeten.

Pluto, benannt nach dem römischen Gott der Unterwelt, wurde erst 1930 entdeckt. Er ist so weit von der Sonne entfernt (über fünf

Neptun mit seinen zwei Monden. Triton, der größere, ist der große helle Fleck in der unteren linken Ecke, und Nereid, der kleinere Mond, ist durch den Pfeil gekennzeichnet.

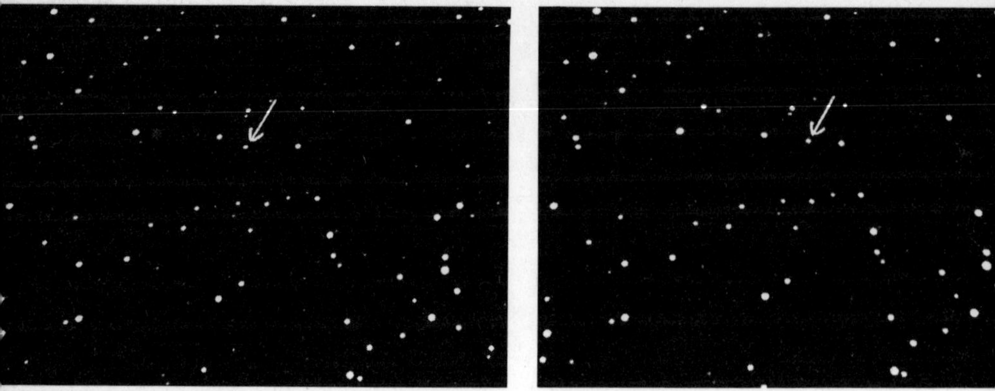

Pluto (Pfeil) ist in zwei verschiedenen Positionen unter den Sternen im Abstand von 24 Stunden zu sehen.

Milliarden Kilometer), daß er fast keine Wärme und kein Licht mehr empfängt. Er ist sicher ein öder Planet in ewigem Eis. Er umkreist die Sonne einmal in etwa 248 Erdenjahren. Seine Größe ist nicht genau bekannt. Zunächst glaubte man, er sei etwa so groß wie die Erde, aber spätere Schätzungen ergaben einen Durchmesser von rund 5800 km, weniger als halb so viel wie die Erde. Seine Umdrehungszeit beträgt vermutlich um sechs Tage.

Frage 27:

Ist es möglich, daß Pluto einmal ein Mond des Neptun war?

KAPITEL 5

Kometen und Planetoiden

Kometen

Kometen sind große Felsbrocken oder Klumpen von in der tiefen Kälte des äußeren Raumes gefrorenen Gasen, die in die Mitte des Sonnensystems stürzen, um die Sonne schwenken und wieder in den äußeren Raum zurückkehren. Einige bewegen sich auf Ellipsenbahnen, die man berechnet hat. Dadurch waren die Astronomen in der Lage vorherzusagen, wann sie wiederkommen. Andere Kometen kommen und gehen, um nie wieder gesehen zu werden. Einige Astronomen glauben, daß diese einmaligen Kometen nie vorher hier gewesen sind und nie zurückkehren werden. Wenn das so ist, dann bewegen sie sich entweder auf Parabel- oder Hyperbelbahnen. (Ellipse, Parabel und Hyperbel werden ›Kegelschnitte‹ genannt, weil man sie erhalten kann, wenn man einen Kegel unter verschiedenen Winkeln schneidet.) Andere Astronomen sind überzeugt davon, daß alle Kometen Teil unseres Sonnensystems sind, daß aber einige so riesig lange elliptische Bahnen haben, daß sie Hunderte von Jahren benötigen um zurückzukehren.

Es gibt hauptsächlich zwei Theorien über die Entstehung der Kometen. Nach der einen Theorie zieht die Anziehungskraft der Sonne, während sie sich durch Wolken interstellaren (zwischen den Sternen befindlichen) Staubes bewegt, die Staubteilchen zu einem dichten Strom zusammen, der sich wie das Kielwasser bei einem

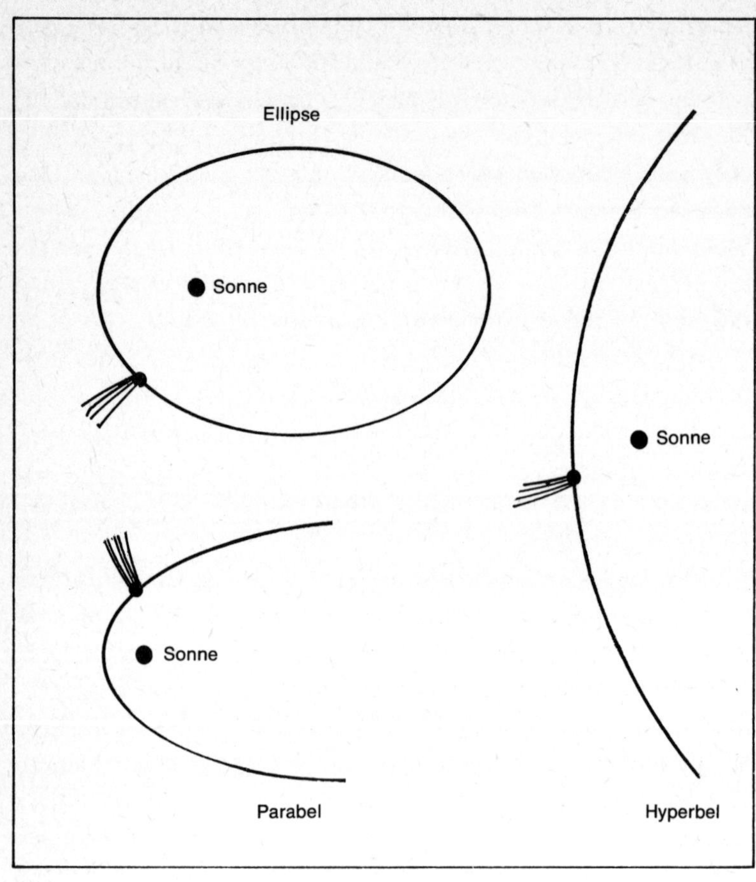

Man glaubt, daß Kometen sich auf Bahnen bewegen, die entweder Ellipsen, Parabeln oder Hyperbeln sind.

Schiff hinter der Sonne herzieht. Gelegentlich wird ein besonders gewaltiger Klumpen von Teilchen in Richtung auf die Sonne gezogen und wird ein Komet. Nach der rivalisierenden Theorie sind die Planeten umgeben von einer ständig wirbelnden Wolke von Teilchen, die Milliarden von Klumpen enthält und halb bis zu den nächsten Sternen reicht. Dann und wann lenkt ein benachbarter Stern durch den Einfluß seiner Anziehungskraft einen Klumpen aus seiner Bahn ab. Das läßt ihn in die Nähe der Sonne schwingen und ihn auf der Erde als Komet sichtbar werden.

Einige Kometen sind durch die starke Anziehungskraft des Jupiter eingefangen worden. Sie bewegen sich um die Sonne und um Jupiter, ihre Umlaufbahn befindet sich völlig innerhalb des Sonnensystems. Andere Kometen bleiben auch innerhalb des Sonnensystems, aber ihre Bahnen reichen so weit wie die Bahnen von Saturn, Uranus oder Neptun.

Kometen haben einen Schweif erst, wenn sie sich der Sonne nähern. Die starke Sonnenwärme verdampft einen Teil, und das ausströmende Gas bildet einen glühenden, dampfartigen Schweif. Die Schweife unterscheiden sich stark in Größe und Form. Manchmal sind sie kurz, manchmal Hunderte von Millionen Kilometer lang. Manchmal sind sie gerade, manchmal gekrümmt. Manche Kometen haben gleichzeitig zwei Schweife. Andere entwickeln nie einen. Weil der Komet, immer wenn sich ein Schweif bildet, einen Teil seiner Substanz verliert, steht fest, daß er schließlich völlig verdampft. Das kann schon nach fünfzig Umläufen geschehen, oder erst nach Hunderten. In vielen Fällen bleibt ein Schwarm von Felsstückchen zurück, die den Raum als Meteorite durchstreifen.

Der letzte aufsehenerregende Komet erschien 1882. Er konnte mit dem bloßen Auge einige Wochen lang gesehen werden. Seitdem waren die meisten Kometen zu schwach, um ohne Fernrohr gesehen zu werden. Ein berühmter großer Komet, genannt der Halleysche Komet nach dem englischen Astronomen Edmund Halley aus dem siebzehnten Jahrhundert, gehört zu der Jupiterfamilie. Er kommt alle 76 Jahre zur Sonne zurück. Er wurde zuletzt 1910 gesehen, als die Erde fast durch das Ende des Schweifes trat. Der Halleysche Komet ist erst wieder 1986 fällig.

Frage 28:

Die Abbildung zeigt, wie der Komet von 1882 in Streatham in England am 4. November um 4 Uhr morgens am Himmel erschien. Können Sie aus der Zeichnung erschließen, in welche Richtung sich der Komet bewegt?

Der Komet von 1882

Planetoide

Hauptsächlich innerhalb der gewaltigen Lücke zwischen den Umlaufbahnen von Mars und Jupiter gibt es Hunderttausende von felsigen Körpern, die Planetoide oder Asteroide genannt werden. Sie kommen in allen Größen und Formen vor vom größten, Ceres (mit einem Durchmesser von rund 750 km), bis herunter zu so kleinen Felsenstücken, daß sie von der Erde aus nicht mehr ausfindig gemacht werden können. Ceres war der erste Planetoid, der entdeckt wurde (1801). Der zweite, Pallas, wurde im darauffolgenden Jahr gefunden. Er ist der zweitgrößte Planetoid mit einem Durchmesser dicht an 500 km.

Es gibt viele Theorien über den Ursprung der Planetoiden. Einige Astronomen glauben, daß sie die Reste eines Planeten sind, der so nahe an Jupiter herankam, daß er aus seiner Bahn gerissen wurde und in Myriaden Stücke zerbrach. Andere glauben, daß die Planetoiden bei einem Zusammenstoß von zwei oder drei kleineren Planeten entstanden. Noch andere denken, daß das Sonnensystem aus einer großen rotierenden Wolke von Teilchen entstand, die einmal die Sonne umgab, und daß die Planetoiden felsige Teile sind, die nie zu einem Planeten zusammenkamen. In jedem Falle ist die Gesamtmasse der Planetoiden geringer als die unseres Mondes.

Die Planetoiden umkreisen die Sonne in Zeiträumen, die von zwei bis zwölf Jahre reichen. Viele ihrer Bahnen sind stark geneigt gegen die ›Ekliptik‹ – die Ebene, in der die Erde umläuft. Zum Beispiel ist Hidalgos Umlaufbahn um fast 45 Grad gegen die Ekliptik geneigt.

Nur ein Planetoid, Vesta – ihr Durchmesser ist rund 400 km – kann mit dem bloßen Auge gesehen werden. Das ist nicht so, weil Vesta so groß ist oder der Erde so nahe kommt, sondern weil ihre Oberfläche mehr Licht reflektiert als andere große Planetoiden. Die Astronomen wissen nicht warum, aber wahrscheinlich ist das so, weil Vesta eine ungewöhnlich glatte Oberfläche hat. Kein

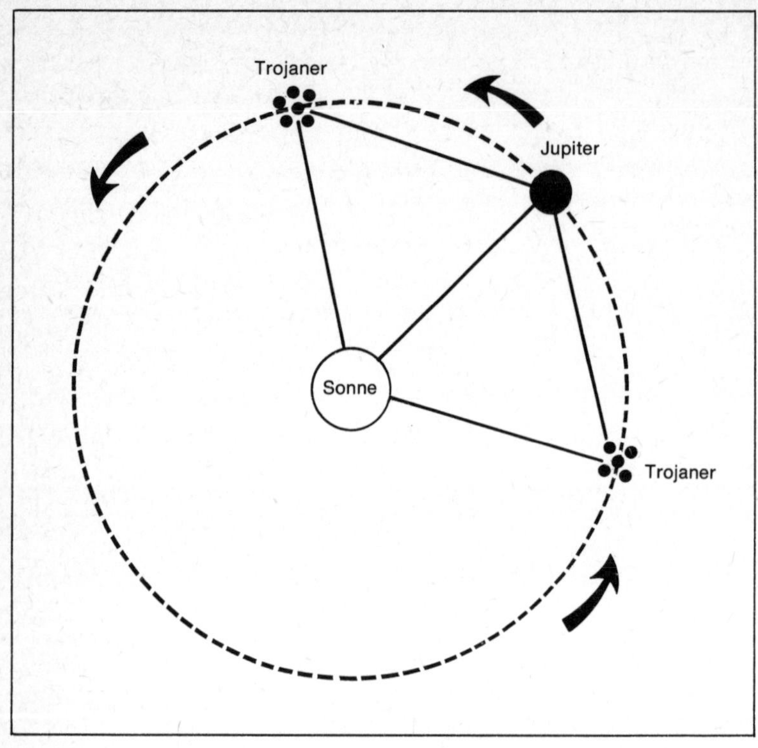

Die Lagrange-Punkte des Jupiter und die zwei Gruppen von Trojanern.

Planetoid ist groß genug, um eine Atmosphäre halten zu können. Auf Ceres, dem größten, würde ein Junge von hundert Pfund weniger als vier Pfund wiegen. Auf kleineren Planetoiden könnte ein Astronaut leicht mit genügend großer Geschwindigkeit hochspringen, um in den Raum zu entkommen und nie zurückzukehren.

Von besonderem Interesse für die Astronomen sind zwei Gruppen von Planetoiden, die als die Trojaner bekannt sind. Sie haben diesen Namen erhalten, weil jeder aus dieser Gruppe, der identifiziert worden ist, benannt ist nach einem Krieger aus Homers Ilias, einem epischen Gedicht, das von dem berühmten Trojanischen

Krieg zwischen Griechenland und Troja erzählt. Um zu erklären, warum die Trojaner von solcher Wichtigkeit sind, müssen wir bis zu dem Jahr 1772 zurückgehen, als der französische Mathematiker und Astronom Graf Joseph Louis Lagrange eine erregende Entdeckung machte. Er bewies mathematisch, daß zwei Körper (oder Gruppen von Körpern) die Sonne so umkreisen könnten, daß sie sich ständig an zwei Ecken eines gleichseitigen Dreiecks befänden, mit der Sonne an der dritten Ecke des Dreiecks. Mit anderen Worten, die dreieckige Anordnung würde stabil bleiben. Das war nichts als eine mathematisch-astronomische Kuriosität, bis 1906 Astronomen einen Planetoiden, Achilles genannt, an einem ›Lagrange-Punkt‹ fanden. Die anderen zwei Ecken des gleichseitigen Dreiecks werden von der Sonne und Jupiter eingenommen.

Seit 1906 wurden mehr als ein Dutzend Planetoide an Jupiters beiden Lagrange-Punkten gefunden. Die eine Gruppe eilt Jupiter voraus, die andere folgt nach. Wie in der Abbildung gezeichnet, bleiben diese beiden Planetoidengruppen ständig an den Ecken zweier riesiger gleichseitiger Dreiecke gefesselt, während Jupiter um die Sonne kreist. Sie liefern einen dramatischen Beweis für die Richtigkeit von Lagranges Berechnungen.

Frage 29:

Ist es möglich, daß eines Tages die Erde mit einem großen Planetoiden zusammenstoßen könnte?

Frage 30:

Der Planetoid, der als 694ster entdeckt wurde, wurde von seinem Entdecker Ekard genannt. (Wer immer einen neuen Planetoiden findet, kann ihm jeden Namen geben, den er möchte. Einer heißt Chicago, und ein anderer, Marlene, wurde nach der berühmten Filmschauspielerin Marlene Dietrich benannt.) Ekard ist ein seltsamer Name. Können Sie erraten, was er bedeutet?

KAPITEL 6

Raumfahrt

Einige Jahre bevor die Gebrüder Wright ihren ersten erfolgreichen Flug mit einem Flugzeug machten, gab es viele intelligente Leute, Naturwissenschaftler eingeschlossen, die schlankweg behaupteten, funktionstüchtige Flugmaschinen könnten nie gebaut werden. Simon Newcomb, ein amerikanischer Astronom, äußerte sich besonders verächtlich: »Sehr wahrscheinlich«, sagte er, »wird die wirksamste Flugmaschine von einer ungeheuren Zahl kleiner Vögel getragen werden.«

Dieser Mangel an Phantasie veranlaßte viele Naturwissenschaftler, ähnlich befremdliche Vorhersagen über die Unmöglichkeit der Raumfahrt zu machen. Der berühmte Astronom der Universität von Chicago, Forest Ray Moulton, schrieb in einem einst vielbenutzten Collegelehrbuch *Astronomie* (1931) auf Seite 296:

> Manch eine Geschichte ist geschrieben worden über einige wunderbare Reisen zum Mond oder Mars ... Es gibt jedoch keine Hoffnung, daß ein derartiger Wunsch je in die Wirklichkeit umgesetzt wird. Die Schwierigkeit, der Erdanziehung zu entkommen, ist unüberwindlich; das Problem, das Gefährt durch den Himmelsraum zu lenken, und das des sanften Abstieges bis zur Ruhe auf der Oberfläche eines weiteren Körpers mit Schwerkraft sind gleicherweise

schrecklich. Nur jene, die nicht mit den dabei beteiligten physikalischen Kräften vertraut sind, können glauben, daß solche Abenteuer jemals aus dem Reich der Phantasie heraustreten werden.

Die großen frühen Science-fiction-Autoren jedoch zweifelten nicht einen Augenblick daran, daß Raumschiffe der Erde eines Tages den Mond und die Planeten erforschen würden. Jules Vernes bekannter Roman *Reise um den Mond* (1870), eine Fortsetzung seines früheren Romans über den Bau eines Raumschiffes, erzählt von einem Flug von drei Personen um den Mond in einer Kapsel, die von Tampa in Florida aus abgeschossen wird. Nicht weit davon entfernt befindet sich jetzt das Weltraumzentrum Cape Canaveral (früher Cape Kennedy). Die Landefähre von Apollo 11,

Diese zwei Illustrationen aus der Originalausgabe von Jules Vernes »Reise um den Mond« zeigen das Raumschiff, die Columbiade, *kurz vor der Landung auf dem Mond (links) und das Schiff und seine drei Passagiere, nachdem sie gelandet sind. Es ist interessant, die Vorstellung eines Künstlers aus dem neunzehnten Jahrhundert von einer Mondlandung mit einer Photographie einer tatsächlichen Landung der Mondlandefähre ›Intrepid‹ während der Reise von Apollo 12 (siehe Seite 72) zu vergleichen.*

die die Astronauten zum ersten Mal zur Mondoberfläche brachte, hieß Columbia nach Vernes phantastischem Raumschiff Columbiade. Die Columbiade stürzte sogar in den Pazifik, wo die Astronauten von einem US-Dampfer geborgen wurden.

Es gibt keinen Grund, die bekannte dramatische Geschichte des modernen Raumfluges hier durchzugehen. Stattdessen will ich einige Ausschnitte aus Die befreite Welt wiedergeben, einem Roman von H. G. Wells, einem weiteren berühmten Pionier der Science-fiction. Der Roman wurde 1914 veröffentlicht. Es ist das

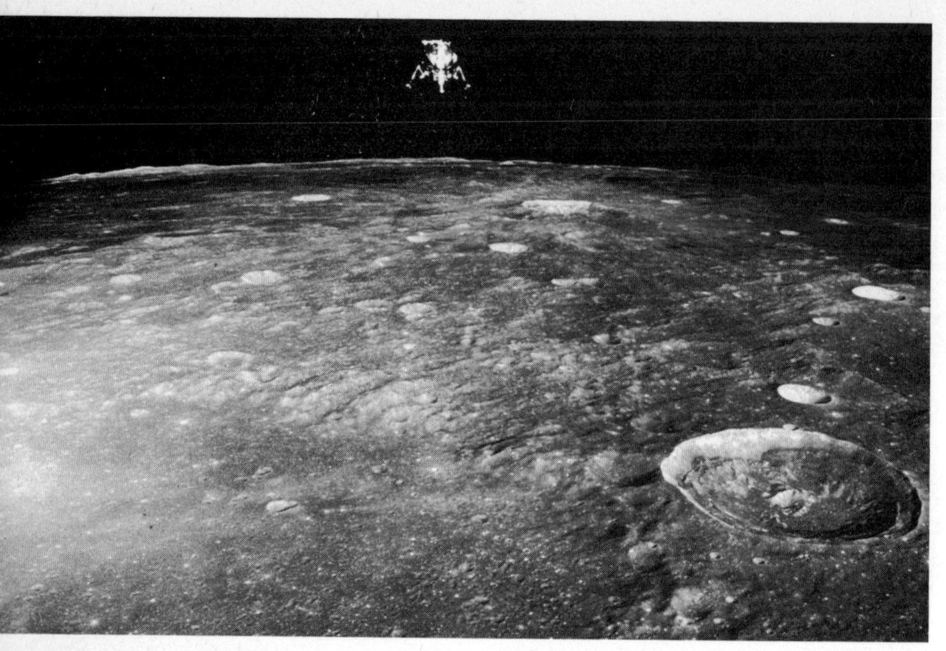

Die zweite Mondlandung, die von Apollo 12, steht kurz bevor. Die Mondlandefähre ›Intrepid‹ mit den Astronauten Charles Conrad Jr. und Alan Bean an Bord steigt zu dem Landeplatz ab. Die Mondlandefähre hat sich vom Kommandoteil, dem ›Yankee Clipper‹, getrennt, der Richard Gordon beherbergt.

prophetischste von Wells' erzählerischen Werken, weil es von der Kernspaltung berichtet und wie diese Kenntnis genutzt wurde, um zu bauen, was Wells die ›Atombombe‹ nannte – Bomben, die in einem verheerenden Krieg geworfen wurden, von dem Wells sich vorstellte, daß er nahe der Mitte des zwanzigsten Jahrhunderts aufkäme. Hier folgen einige Zeilen aus dem letzten Kapitel des Romans. Sie sind eine erstaunliche Vorwegnahme des Weltraum-Zeitalters, eines Zeitalters, das viel früher begann, als Wells erwartet hatte.

»Dieser runde Planet ist nicht länger an uns gekettet wie die Kugel eines Galeerensklaven... In einer nahen Zukunft werden Menschen, die wissen, wie man die unbekannte Schwerkraft, die geänderten Drucke, die verdünnten ungewohnten Gase und die ganze furchterregende Fremdheit des Raumes erträgt, sich von dieser Erde wegwagen. Dieser Globus wird uns nicht länger genügen; unser Geist wird nach den Sternen greifen...«
Und dann stand Karenin auf. Er ging ein paar Schritte die Terrasse entlang, blieb eine Zeitlang stehen und starrte zu der großen silbernen Scheibe hinauf, jenem silbrigen Schild, der notwendigerweise die erste Eroberung des Menschen im Außenraum sein muß...

Diese erste Eroberung, die Eroberung des Mondes, ist jetzt erfolgt. Jahrzehnte vor Wells' Zeitplan. Es wird nicht lange dauern, bis unsere Astronauten Mars und Venus erforschen, danach andere Planeten unseres Sonnensystems. Wer könnte sagen, welche Überraschungen für uns bereitliegen, oder daß der Mensch nicht eines Tages noch fremdartigere Planeten besuchen wird, die zu anderen Sonnen gehören?

Frage 31:

Die Trägheit ist das Bestreben eines Körpers, den Zustand der Ruhe oder der gleichförmigen Bewegung auf einer geraden Linie beizubehalten, solange keine äußere Kraft auf ihn einwirkt. Nehmen wir an, ein Astronaut öffnet im schwerefreien Raum ein Glas mit Wasser und will es schnell in die Luft entleeren. Beschreiben Sie drei verschiedene Wege, auf denen er das erreichen kann, indem er die Trägheit des Wassers ausnutzt.

Frage 32:

Erklären Sie drei Methoden, wie man eine künstliche Schwerkraft im Innern eines sich bewegenden Raumschiffes schaffen kann.

Frage 33:

Würde eine Kerze im Innern eines Raumschiffes brennen, das eine Atmosphäre wie die Erde hat, wenn es keine Schwerkraft gibt?

Frage 34:

Ein Astronaut macht eine lange Reise von der Erde fort, während sein Zwillingsbruder, natürlich von genau dem gleichen Alter, zu Hause bleibt. Wenn der reisende Zwilling zurückkehrt, ist das Alter der Brüder dann gleich?

Frage 35:

In Jules Vernes Roman über eine Reise um den Mond (wir erwähnten ihn oben) wird das Raumschiff Columbiade von einer gigantischen Kanone in Florida abgeschossen. Es fliegt um den Mond und zurück zur Erde ohne jedes Antriebssystem. Auf dem Weg zum Mond stellen Vernes Raumfahrer fest, daß ihr Gewicht langsam immer geringer wird, während sie sich weiter von der Erde entfernen. Als ihr Raumschiff einen Punkt im Raum erreicht, an welchem sich die Anziehungskraft der Erde und des Mondes genau aufheben, herrscht keine Schwerkraft innerhalb der Kapsel.

Welchen schweren naturwissenschaftlichen Fehler beging Verne?

Frage 36:

Verne machte einen weiteren Schnitzer in seinem Roman über eine Reise um den Mond. Während der Reise stoßen die Raumfahrer aus dem Fenster ihres Raumschiffes den Körper eines Hundes mit Namen Trabant, der durch den heftigen Abschuß der Kapsel getötet worden ist. Stunden später sehen sie den toten Hund immer noch längsseits mitfliegen.

Was ist an diesem Ereignis falsch?

Frage 37:

Was geschieht im schwerelosen Zustand mit dem Luftraum in einer geschlossenen, halb mit Wasser gefüllten Flasche?

Frage 38:

Zwei Raumschiffe rasen aufeinander zu, das eine mit 9000 km in der Stunde, das andere mit 21 000 km in der Stunde. Sie starten bei einer Entfernung von 15 537 km im Raum. Wie weit sind sie eine Minute, bevor sie sich treffen, voneinander entfernt?

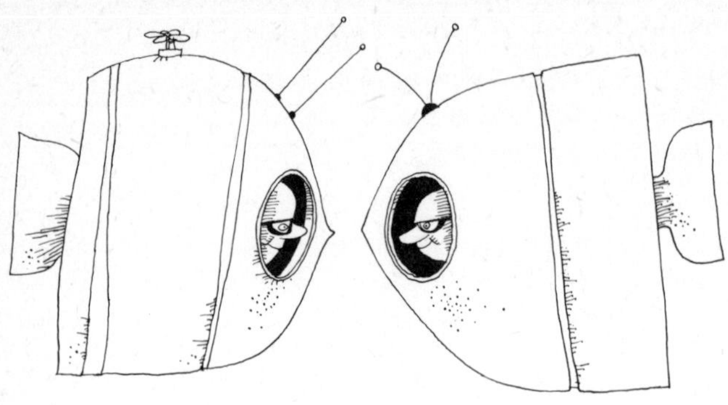

Frage 39:

Wenn Sie in einem Boot sind und die Paddel verloren haben, ist es möglich, mit folgender ungewöhnlicher Methode das Boot in Bewegung durch das Wasser zu versetzen. Man befestigt ein Seil am

hinteren Ende des Bootes. Wenn man ruckartig an dem Seil nach vorn zieht, beginnt das Boot, sich langsam nach vorn zu bewegen. Solange man ruckweise zieht, bewegt sich das Boot weiter. Könnte man eine solche Methode auf ein umhertreibendes Raumschiff anwenden?

Frage 40:

Wenn ein Astronaut, ungeschützt von einem Raumanzug, plötzlich aus seinem Raumschiff in den luftleeren Raum treten würde, würde er dann infolge des Druckes im Innern seines Körpers explodieren?

Antworten

Kapitel 1 *Die Erde*

1. Nein, Sie können es nicht. So hoch die Berge uns auch erscheinen (einige sind höher als 8000 m) und so tief die Täler und der Meeresboden auch sind (an einigen Stellen reicht er tiefer als 10 000 m), die Erde ist im Verhältnis zu diesen Höhen und Tiefen soviel größer, daß, wenn sie die Größe einer elfenbeinernen Billardkugel hätte, sie sich noch g l a t t e r anfühlen würde als eine solche Kugel.

2. In einem tiefen Bergwerk würde ihr Gewicht (die Kraft, die die Erdanziehung auf Sie ausübt) geringfügig kleiner sein als an der Oberfläche. Der Grund dafür ist der, daß ein kleinerer Teil der Erde unter Ihnen ist, der Sie abwärts zieht, und etwas von der Erde über Ihnen, das Sie h i n a u f z i e h t. Je tiefer Sie absteigen, um so geringer wird die abwärts wirkende Kraft. Im Mittelpunkt der Erde, falls ein Bergwerk so tief reichte, würden Sie überhaupt nichts mehr wiegen.

3. Ein Mann, der auf einem Pferd sitzt, ist weiter von der Erdoberfläche entfernt, als wenn er auf dem Boden steht, deswegen wiegt er eine Winzigkeit weniger.

4. Das Problem, was geschehen würde, wenn man durch eine Röhre fiele, die geradewegs durch den Erdmittelpunkt führte, wurde von Galilei richtig gelöst. Wenn man die Reibung an den Wänden und den Luftwiderstand vernachlässigt, würde man immer schneller fallen, bis man im Erdmittelpunkt seine größte Geschwindigkeit – etwa acht Kilometer in der Sekunde – erreichte. Obwohl die Schwerkraft geringer würde, wenn man sich dem Erdmittelpunkt näherte, würde die Trägheit – die Eigenschaft, die Bewegung in dieselbe Richtung beizubehalten – verbunden mit dem beständigen Ziehen der Schwerkraft dafür sorgen, daß man beschleunigt würde (die Geschwindigkeit zunehmen würde), bis man den Mittelpunkt erreichte. Wenn man einmal den Mittelpunkt durcheilt hätte, würde die Geschwindigkeit abnehmen, da jetzt der größere Teil der Erde hinter einem wäre und eine größere Kraft ausüben würde als der Teil vor einem. Die Geschwindigkeit würde gerade auf Null gesunken sein, wenn man das andere Ende der Röhre erreichte.

Wenn man nicht den Rand der Röhre ergriff (oder jemand anders ergriff einen), würde die Anziehungskraft einen wieder in die Röhre zurückziehen, und man fiele auf dem umgekehrten Weg. Unter idealen Bedingungen würde man ewig hin und her schwingen. Jede Hin- und Rückreise würde 84 Minuten dauern.

5. Schwerkraftzüge würden tatsächlich funktionieren. Natürlich würde die Reibung der Räder und der Luftwiderstand den Zug abbremsen, aber wenn diese und andere störende Kräfte vernachlässigt werden, könnte ein Zug durch einen geraden Tunnel von, sagen wir, Hamburg nach New York fahren, durch nichts anderes angetrieben als die Schwerkraft.

Betrachten Sie die Abbildung, und Sie werden sehen, daß während der ersten Hälfte der Reise der Zug bergab rollt (zum Mittelpunkt der Erde). Wie jemand, der durch die Erde fällt, erreicht der Zug eine genügend hohe Geschwindigkeit, um die andere Hälfte des Tunnels wieder bergan zu rollen. Merkwürdigerweise stellt es sich heraus, daß die Zeit, die ein Zug für solch eine Reise benötigen würde (unter idealen Bedingungen ohne Reibung), genauso groß sein würde wie die Zeit, die eine Person benötigte, um in eine Richtung durch die Erde zu fallen – etwa 42 Minuten. Diese Zeit bleibt gleich, unabhängig davon, wie lang der gerade Tunnel ist.

Wie diese Röhre durch die Erde sind Untergrundbahnen von dieser Art in vielen Science-fiction-Geschichten beschrieben worden. In den letzten Jahren sind abgewandelte Formen solcher Beförderungssysteme, die die Schwerkraft benutzen, um die Untergrundbahnen zu beschleunigen und wieder abzubremsen, von Ingenieuren ernsthaft vorgeschlagen worden.

6. Nein. Dies ist ein alter Aberglaube, der durch keine Tatsache gestützt wird. Dasselbe trifft auf den alten Glauben zu, daß Sterne bei Tageslicht gesehen werden könnten, wenn man durch einen hohen Schornstein hinaufschaut. Da die Sterne nur bei Nacht gesehen werden können, schien es vernünftig anzunehmen, daß es dasselbe wäre, wenn man einen dunklen Schornstein oder Brunnen hinaufschaute, wie wenn man in den Nachthimmel sah. Aber natürlich ist das nicht so. Der schmale Ausschnitt des Tageshimmels um einen Stern ist genauso hell, wenn man durch einen langen dunklen Brunnen oder Schornstein sieht, wie wenn man auf einem offenen Feld steht.

7. Zehn Pfund. Ist Ihnen eingefallen, daß Sie dieses Experiment tatsächlich durchführen können? Drehen Sie einfach einen Tisch um! Nach Newtons Gravitationsgesetz ziehen zwei Körper sich gegenseitig mit derselben Kraft an. Wenn daher die Erde mit solcher Kraft an dem Tisch zieht, daß er zehn Pfund wiegt, dann zieht gleichzeitig der Tisch mit einer Kraft an der Erde, daß auch sie zehn Pfund wiegt.

Die Situation ist dieselbe wie bei einer riesigen Eisenkugel, die im Raum treibt, und die mit einem Korken durch ein Gummiband verbunden ist. Wenn man das Band an jedem Ende um denselben Betrag verlängert und dann losläßt, wird es der Korken sein, der sich bewegt. Die Eisenkugel hat eine so große Masse, daß ihre Bewegung nicht festgestellt werden kann, aber trotzdem bewegt sie sich ein wenig. Die Anziehungskraft, die von dem gedehnten Gummiband ausgeht (und der Massenanziehung entspricht), ist genau gleich in beiden Richtungen.

8. Wenn die Erde in einen Meteoritenschwarm eintaucht, wird ihr ›Gesicht‹, die Seite in Bewegungsrichtung der Erde um die Sonne, von mehr Meteoriten getroffen als die abgewandte Seite. Von Sonnenuntergang bis Mitternacht befindet man sich auf der Rückseite, von Mitternacht bis Sonnenaufgang auf der Vorderseite. Mit anderen Worten: Man sieht aus demselben Grund am frühen Morgen mehr Sternschnuppen, wie das Gesicht nasser wird als der Hinterkopf, wenn man bei Windstille durch fallende Regentropfen geht.

Kapitel 2 *Die Sonne*

9. Seltsam, die Sonnenoberfläche rotiert mit verschiedener Geschwindigkeit. Nahe bei den Polen braucht die Oberfläche für eine Umdrehung etwa zehn Tage länger als die Oberfläche nahe dem Äquator. Die Astronomen wissen nicht warum.

10. Weil die Erdachse gegen die Ebene, in der sie um die Sonne kreist, geneigt ist, wandert die Sonne scheinbar auf einer Bahn am Himmel, die ›die Ekliptik‹ genannt wird und die während des Jahres in ihrer nördlichen oder südlichen Lage schwankt. Nur zweimal im Jahr geht die Sonne an Punkten auf und unter, die genau im Osten und Westen liegen. Wenn das geschieht, ist der Tag (Sonnenauf-

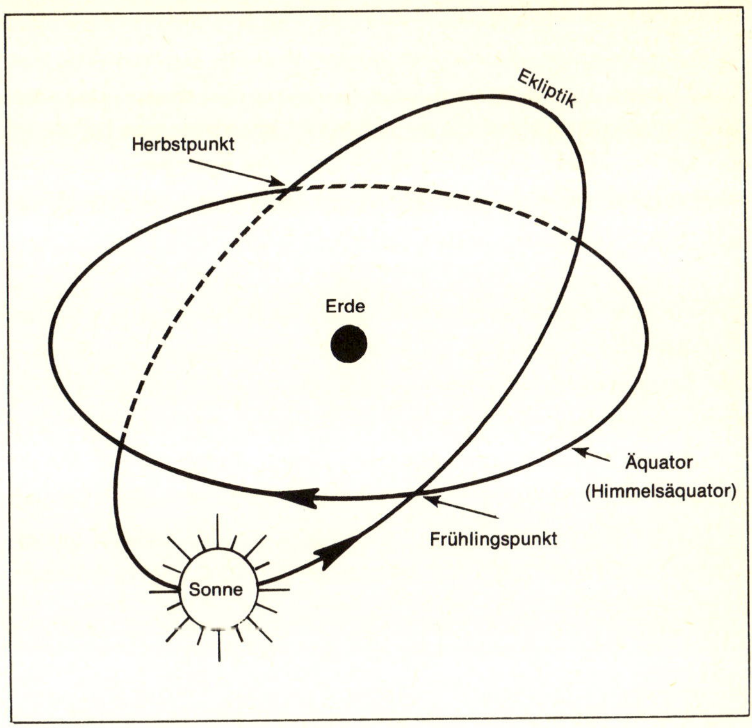

Die scheinbare Bahn der Sonne, die sie im Laufe eines Jahres am Himmel beschreibt, heißt die Ekliptik. Ihre Ebene schneidet die Äquatorebene der Erde. Die beiden Schnittpunkte an der Himmelskugel heißen Äquinoktien (Frühlings- und Herbstpunkt).

gang bis Sonnenuntergang) genauso lang wie die Nacht (Sonnenuntergang bis Sonnenaufgang). Diese beiden Daten werden die ›Äquinoktien‹ oder ›Tagundnachtgleiche‹ genannt. Die Frühlings-Tagundnachtgleiche fällt auf den 21. März oder in die Nähe, die Herbst-Tagundnachtgleiche auf den 23. September oder in die Nähe. Dieses letzte Datum ist die Lösung des Problems.

Die Tage, wenn die Sonne am höchsten oder am tiefsten steht, werden ›die Solistitien‹ oder Sonnenwende genannt. Der Tag, an dem die Sonne so weit südlich wie möglich untergeht, heißt die Winter-Sonnenwende. Sie fällt etwa auf den 22. Dezember, die Zeit, wenn die Tage am kürzesten sind. Die Sommer-Sonnenwende, die etwa auf den 22. Juni fällt, ist die Zeit, wenn die Tage am längsten sind. Wir sagen ›etwa‹ an diesen Tagen, weil, wie bei den Äquinoktien, das genaue Datum von Jahr zu Jahr etwas verschieden ist. Das liegt daran, daß unsere Jahre sich in der Länge unterscheiden: Jedes Schaltjahr ist einen Tag länger als die anderen Jahre.

11. Aus einem seltsamen Grund, der bisher unbekannt ist, kippt das Magnetfeld völlig um, wenn die Sonnenfleckentätigkeit ihr Maximum erreicht. Der magnetische Nordpol wird zum Südpol und umgekehrt! Wegen dieses Umschaltens der Pole sagt man, daß ein voller Sonnenfleckenzyklus 22 Jahre dauert. In der Hälfte der Zeit ist der magnetische Nordpol an dem einen Ende der Sonnenachse und dann an dem anderen Ende.

12. Die Blätter eines Baumes erzeugen Hunderte von kleinen Löchern, durch die das Sonnenlicht fällt. Diese Löcher wirken wie die Öffnungen einer Lochkamera und erzeugen umgekehrte Bilder der Sonne auf dem Boden oder an einer Mauer oder Häuserwand (s. Abbildung rechts). Normalerweise werden wir uns dieser Bilder nicht bewußt, weil es einfach runde Lichtflecken sind. Während einer partiellen Sonnenfinsternis jedoch sehen wir die Bilder als sichelförmige Lichtreflexe.

Das Loch einer Stecknadel in einem Stück Karton liefert eine sichere Methode, um eine Sonnenfinsternis zu beobachten. Es ist gefährlich, die Finsternis unmittelbar zu beobachten, auch wenn sie total ist. Unsichtbare Sonnenstrahlung kann das Auge dauernd beschädigen. Wenn man eine Stecknadel durch ein großes Stück Karton sticht, kann man den Karton wie in der Abbildung halten, so

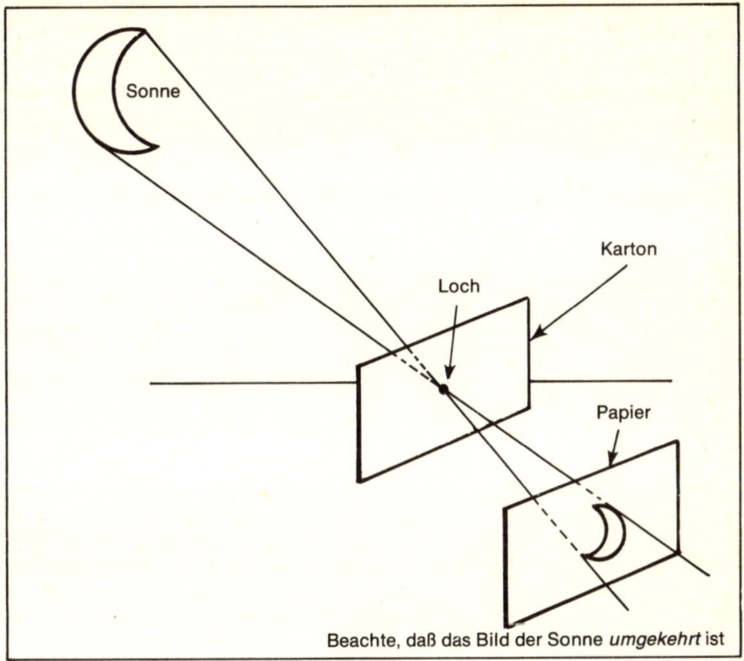

Beachte, daß das Bild der Sonne *umgekehrt* ist

daß das Sonnenlicht durch das Nadelloch auf das Papier fällt und ein gutes Bild der Sonnensichel erzeugt.

Es gibt andere ausgezeichnete und sichere Methoden, um eine Sonnenfinsternis zu beobachten. Eine davon ist die, ein Fernrohr oder einen Feldstecher mit dem Okular zur Sonne zu halten. Das Sonnenlicht durchläuft das Instrument rückwärts und erzeugt ein scharfes Bild der Sonnenscheibe auf dem Blatt Papier.

Der Gebrauch von dunklem Glas oder geschwärztem Filmnegativ ist nicht ratsam, weil, wenn das Glas oder der Film nicht nahezu undurchsichtig ist, gefährliche Sonnenstrahlen durchdringen und in das Auge gelangen können. Und in keinem Fall sollte man zur Sonne durch irgendein Ende eines Fernrohres oder Feldstechers schauen.

13. Die Mondoberfläche ist mit Kratern bedeckt; deshalb ist der Mondrand äußerst ungleichmäßig. Das Sonnenlicht, das durch die Täler der gezackten Mondoberfläche scheint, erzeugt das Perlschnurphänomen.

Kapitel 3 *Der Mond*

14. Obwohl man sagt, daß der Mond die Erde umkreist, muß man genauer sagen, daß die Erde und der Mond ein ›Zwei-Körper-System‹ bilden und um den gemeinsamen Schwerpunkt kreisen. Weil die Erde eine so viel größere Masse als der Mond hat, liegt der Schwerpunkt innerhalb der Erde. Während die Erde und der Mond um diesen Punkt kreisen, läßt die Zentrifugalkraft den Ozean sich zu einem zweiten Flutberg auf der dem Mond abgewandten Seite erheben und erzeugt so die zweite Flut.

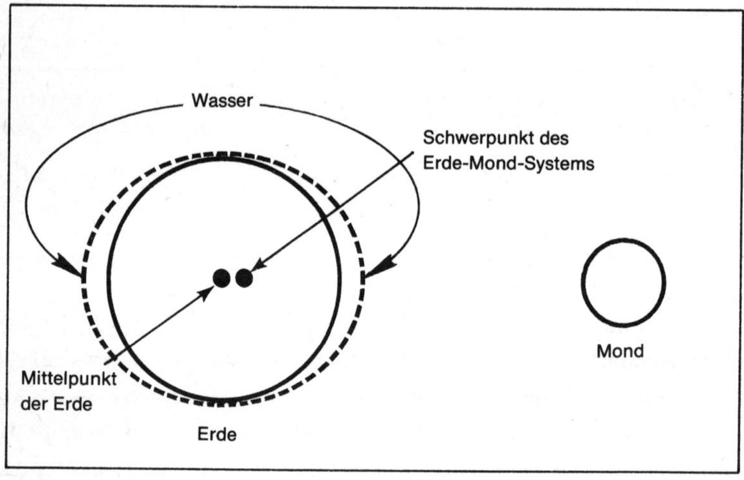

Die beiden Flutberge. (Die Entfernung des Mondes von der Erde ist im Verhältnis zu klein.)

15. Die Fehler in der Geschichte über die Astronauten sind:

1) Sterne, die jemand auf dem Mond sieht, funkeln nicht. Das Funkeln der Sterne wird durch die Bewegung der Luft erzeugt. Da der Mond keine Atmosphäre hat, leuchten die Sterne immer stetig.

2) Der Mond hat keine Wolken.

3) Der Mond hat keine Luft, die eine Brise erzeugen könnte.

4) Geräusche können auf dem Mond nicht gehört werden, weil es keine Atmosphäre gibt, die den Schall übertragen könnte.

5) Sterne können genausowenig im Innern der Erdsichel gesehen werden, wie wir auf der Erde sie im Innern der Mondsichel sehen können. Damit solche Sterne sichtbar wären, müßten sie sich zwischen der Erde und dem Mond befinden. Natürlich ist der Grund der, daß das, was in der Erdsichel oder Mondsichel leerer Raum zu sein scheint, keineswegs leer ist. Es ist der Teil der Kugel, der nicht gesehen werden kann, weil das Sonnenlicht ihn nicht bescheint.

16. Man könnte geneigt sein zu sagen, daß der Mond sich überhaupt nicht dreht, weil er uns immer dieselbe Seite zukehrt. Für einen Beobachter auf der Erde ist das in gewissem Sinne richtig. Astronomen ziehen es jedoch vor, die Situation von einem Punkt außerhalb des Erde-Mond-Systems zu betrachten. Relativ zu den Sternen zum Beispiel dreht der Mond sich bei jeder Umkreisung der Erde genau einmal um seine Achse.

Es gibt einen einfachen Weg, das einzusehen: Man legt einen Groschen auf den Tisch, der die Erde darstellt, und bewegt dann einen zweiten Groschen (der den Mond darstellt) so um den festen Groschen, daß immer dieselbe Seite des ›Mondgroschens‹ dem ›Erdgroschen‹ zugekehrt ist. Man stellt fest, daß man den bewegten Groschen drehen muß und daß man ihn genau einmal gedreht hat, wenn er in die Ausgangslage zurückgekehrt ist.

17. Wenn es fast Neumond ist, dann ist es vom Mond aus gesehen fast ›Vollerde‹. Das bedeutet, daß nahezu der größtmögliche Teil des Sonnenlichtes von der Erde zum Mond reflektiert wird. Es ist dieser reflektierte Erdschein, der es uns ermöglicht, den dunklen Teil des Mondes schwach zu erkennen, wenn der hell erleuchtete Teil des Mondes nur eine schmale Sichel ist.

18. Nein. Der Grund ist, daß ein Athlet bei einem Hochsprung die Füße so hoch wie möglich reißt. Das befähigt ihn, zwei Meter hoch zu springen, obwohl er seinen Schwerpunkt viel weniger als zwei Meter angehoben hat.

Um das klarzumachen, wollen wir annehmen, daß der Mann wie in der folgenden Abbildung 2 m groß ist. Sein Schwerpunkt (der Punkt, an dem man sich sein ganzes Gewicht vereinigt denken kann) ist etwa 1,15 m über dem Boden. Wenn er 2 m hoch springt,

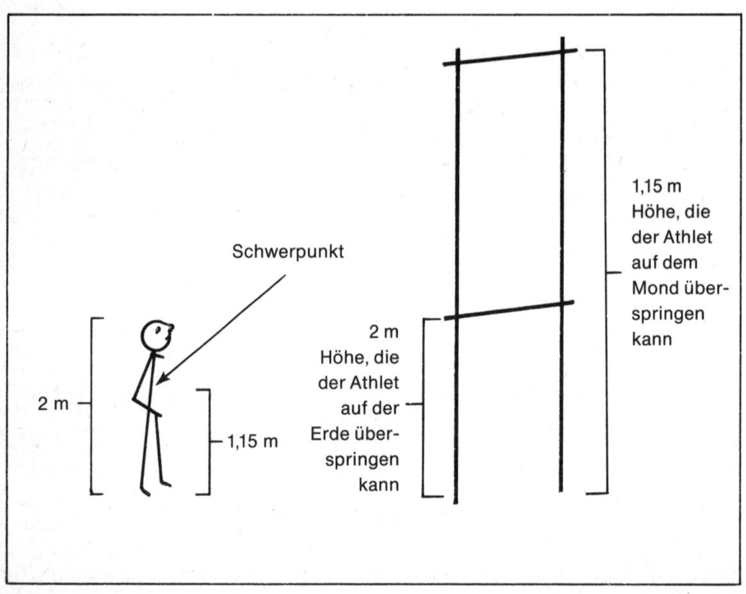

hat er daher seinen Schwerpunkt nur 85 cm angehoben. Auf dem Mond kann er seinen Schwerpunkt sechsmal so hoch heben, also 5,10 m. Wenn er auf dem Mond so hoch wie er kann springt und die Beine in derselben Weise wie auf der Erde nach oben reißt, müßte der Athlet 6,25 m überspringen können. Das ist gerade etwas mehr als die Hälfte des Zwölfmeterspunges, der manchmal in Geschichten über das Leben auf dem Mond erwähnt wird.

Kapitel 4 *Die Planeten*

19. Die neun Buchstaben sind die Anfangsbuchstaben der neun Planeten in ihrer Reihenfolge von der Sonne aus: *M*erkur, *V*enus, *E*rde, *M*ars, *J*upiter, *S*aturn, *U*ranus, *N*eptun und *P*luto.

20. Uranus und Saturn. Man kann das ›T‹ von Saturn in ein ›U‹ oder ein ›U‹ von Uranus in ein ›T‹ abändern, und die Buchstaben ergeben den Namen des anderen Planeten.

21. Die Damen könnten tatsächlich von Mars oder Venus gekommen sein. Es gibt ein Mars in Pennsylvania und je ein Venus in Pennsylvania, Florida, Nebraska und Texas, USA.

22. Nein. Merkur hat keine Dämmerungszone. 1965 fanden Astronomen heraus, daß Merkur sich nicht während eines Umlaufs einmal dreht, wie es der Mond beim Umkreisen der Erde tut. Er dreht sich dreimal während zweier Umläufe um die Sonne.

23. Venus ist der einzige Planet im Sonnensystem, der sich rückläufig dreht. Alle anderen Planeten drehen sich, wenn man von oben auf ihren Nordpol sieht, gegen den Uhrzeigersinn mit Ausnahme von (wie wir später sehen werden) Uranus, dessen Achse so genau

parallel zu seiner Umlaufebene liegt, daß für seine Drehrichtung beide Möglichkeiten in Betracht kommen. Venus dreht sich im Uhrzeigersinn. Ihre Drehung erfolgt so langsam, daß ein Beobachter auf ihr die Sonne im Westen langsam aufgehen sehen würde und der Tag länger dauern würde als das Venusjahr (etwa 225 Erdentage).

Es gibt etwas noch Seltsameres bei der Venusdrehung. Die Drehung ist so abgestimmt, daß, wenn immer sie der Erde am nächsten kommt, sie uns dieselbe Seite zuwendet. Keiner weiß bisher warum. Die Astronomen vermuten, daß Venus eine einseitig verteilte Masse hat. Das ermöglicht es der Erde, die Drehung ›einzufangen‹ durch eine ›Resonanzkopplung‹.

24. Die ›Marskanäle‹ in dem Sinn, in dem das Wort gewöhnlich verstanden wird, gibt es einfach nicht. Viele ausgezeichnete Astronomen der Vergangenheit – besonders der Italiener Giovanni Schiaparelli und der Amerikaner Percival Lowell – glaubten, sie sähen den Planeten durchkreuzt von Hunderten von feinen Linien. Sie zeichneten sogar detaillierte Karten von ihnen. Lowell schrieb einige Bücher, in welchen er bewies, daß die Kanäle Bewässerungsgräben sein müssen, die von den Marsbewohnern gegraben worden sind, um Wasser von den Polarregionen in die trockenen Wüstengebiete zu bringen.

Leider zeigen die Photos vom Mars, die von der Raumsonde Mariner aufgenommen wurden, keinerlei Spuren solcher Kanäle. Die Oberfläche des Mars ist mit Kratern bedeckt, ähnlich denen auf dem Mond. Es gibt auch unermeßliche kraterfreie Gebiete von wildem, zerzaustem Aussehen, deren Wesen noch nicht bekannt ist.

Die meisten Astronomen, sowohl zu Lowells Zeiten als auch heute, waren nie wirklich in der Lage, Marskanäle zu sehen. Man ist sich einig darüber, daß die ›Kanäle‹ zum einen optische Täuschung waren, die durch das Bestreben des Gehirns, dunkle Flecken zu Linien zu gruppieren, verursacht wurde, zum anderen Selbsttäu-

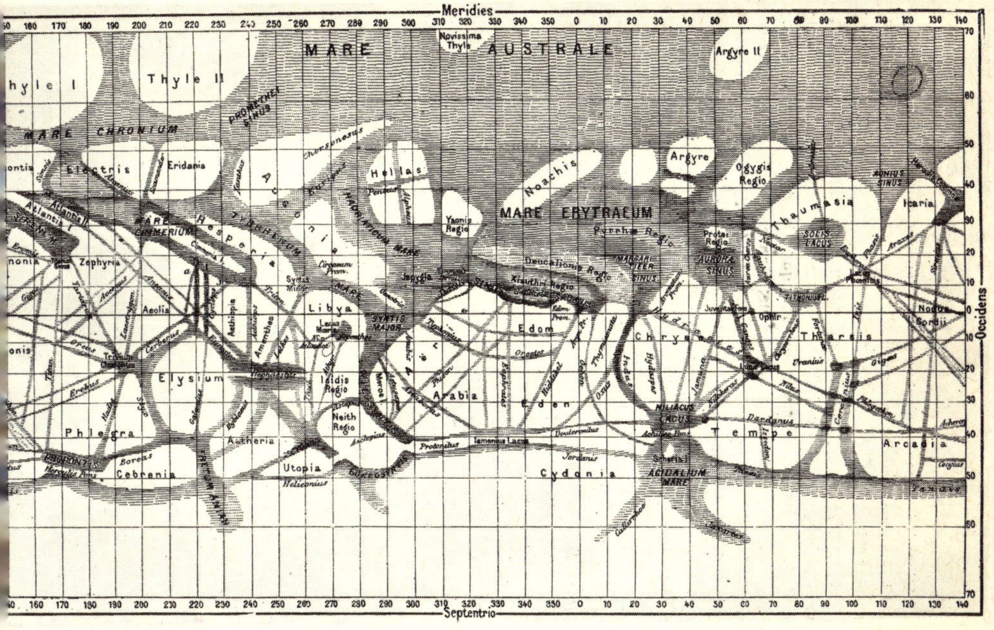

Schiaparellis Karte der Marskanäle, die auf seinen Beobachtungen von 1877 bis 1886 beruht.

schung, herbeigeführt durch den starken Willen, Kanäle zu sehen. Im Fernrohr ist der Mars eine kleine, tanzende Scheibe, und nur für flüchtige Momente kann man einen zuverlässigen Blick auf ihn werfen. In solchen Momenten kann das Auge mit dem, was man zu sehen glaubt, seltsame Dinge vorspiegeln. Die ›Kanäle‹ von Lowell und anderen Astronomen sind nie auf unseren Photographien vom Mars erschienen.

Einer der rätselhaftesten Aspekte der Marsgeologie hat mit Nix Olympica zu tun, einem gewaltigen Krater von 483 km Durchmesser, viel größer als alle Krater auf dem Mond. Fast in seiner Mitte ist ein heller Fleck, vielleicht eine Art Spitze, die von Jahr zu Jahr ihre Helligkeit ändert. Keiner hat bis jetzt eine überzeugende Erklärung für diese wunderliche Erscheinung angeboten.

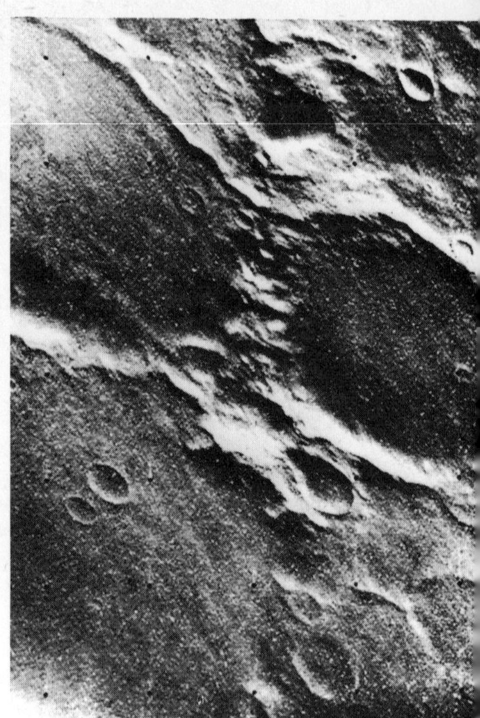

Die Totalaufnahme des Mars (links) und die Nahaufnahme der Marsoberfläche (rechts), beide vom Raumschiff Mariner aufgenommen, zeigen keinerlei Hinweis auf die fabulösen ›Kanäle‹.

25. Der Große Rote Fleck ist ein riesiger, ovaler rosa Fleck südlich des Jupiteräquators. Er ändert seine Größe und Form, ist aber gewöhnlich rund 50 000 km lang und 11 000 km breit und hat ungefähr die Fläche der Erdoberfläche. Der Fleck treibt langsam nach Osten oder Westen in andere Positionen, bewegt sich aber nie nach Norden oder Süden.

Der erste Bericht eines Beobachters, der den Roten Fleck gesehen hat, stammt aus dem Jahre 1664; zu der Zeit war er wesentlich blasser. 1878 wurde er plötzlich heller, und er blieb bis 1882 hell; dann begann er, schwächer zu werden. Bis 1890 wurde er fast unsichtbar, danach wurde er wieder heller. Seitdem hat er viele unvorhersehbare Änderungen in der Helligkeit, Farbe, Form, Größe und Lage durchgemacht.

Was in Jupiters Namen ist er?

Es gibt zwei Haupttheorien:

1) Die Floßtheorie. Es handelt sich um eine Art besonderer fester Materie – vielleicht eine Form gefrorenen Wassers – die wie ein Floß auf Jupiters dichter Atmosphäre schwimmt.
2) Die Wirbeltheorie. Es handelt sich um einen geheimnisvollen atmosphärischen Zustand, der durch einen festen Höcker oder eine Vertiefung in der Oberfläche des Jupiters erzeugt wird. Wenn dies richtig ist, wären die unregelmäßigen Bewegungen des Roten Flecks nach Osten und nach Westen eher die Folge einer Änderung der Drehung des Planeten als eine Bewegung des Flecks selbst.

Die Wahrheit ist, daß kein Astronom weiß, was der Große Fleck ist. Er ist eines der faszinierendsten Geheimnisse des ganzen Sonnensystems. Bis unsere Raumsonden anfangen, in die Nähe des Riesenplaneten zu fliegen, können die Astronomen wenig mehr tun als wilde Vermutungen zu äußern.

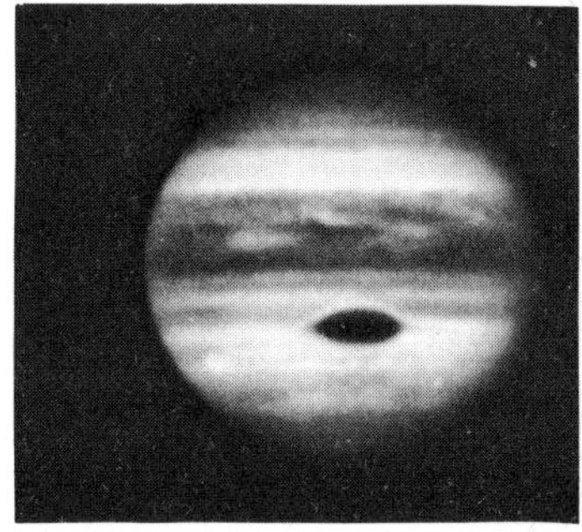

Jupiters Großer Roter Fleck in zwei verschiedenen Lagen.

26. Wie bei unserer Erde ist die Drehachse des Saturn gegen die Ebene des Sonnensystems geneigt. Aus diesem Grund sehen wir seine Ringe unter verschiedenen Winkeln, wenn der Planet um die Sonne wandert. Einmal etwa alle vierzehn Jahre ist ihre Lage so, daß wir auf die Kante der Ringe sehen. Obwohl die Ringe viele Tausende Kilometer breit sind, sind sie sehr dünn. Astronomen schätzen ihre Dicke auf höchstens elf Kilometer; einige glauben, sie sind nur fünfzehn Zentimeter dick. Selbst elf Kilometer ist so dünn, daß die Ringe zu den Zeiten, an welchen die Kante auf uns weist, in unseren Teleskopen nicht sichtbar wären.

Die beiden Lichtkleckse, die Galilei 1610 sah, s i n d tatsächlich verschwunden. Selbst die heutigen lichtstarken Teleskope wären nicht in der Lage gewesen, sie im Jahr 1612 zu zeigen, als ihr Verschwinden eine solche irreführende Enttäuschung für Galilei bedeutete. Das letzte Mal, als die Saturnringe verschwanden, war 1966. 1973 erreichten sie erneut eine Periode der größten Sichtbarkeit, als der Planet so kippte, daß die südliche oder Unterseite der Ringe zu sehen war.

27. Ja. Viele Astronomen haben erörtert, daß Pluto einst ein Mond des Neptun war. Die Theorie beruht auf Plutos sehr geringer Umdrehungsgeschwindigkeit. Das ist charakteristisch für Monde. Wenn Pluto tatsächlich ein Mond war, der Neptun entkommen ist und ein Planet wurde, hätte er seine geringe Drehgeschwindigkeit behalten.

Die Theorie des entkommenen Mondes wird auch unterstützt durch die Tatsache, daß Plutos Umlaufbahn eine so schiefe Ellipse ist, daß zu bestimmten Zeiten Pluto tatsächlich dichter an der Sonne

Die Saturnringe sind unter verschiedenen Winkeln zu sehen, während der Planet um die Sonne kreist. Wenn man auf die Kante sieht, wie auf den Bildern unten links und oben rechts, dann sind die Ringe im Fernrohr nicht zu sehen und scheinen völlig verschwunden zu sein.

ist als Neptun. Die Bahnen der beiden Planeten kreuzen sich jetzt nicht, aber das könnte in der Vergangenheit so gewesen sein. Einige Astronomen haben erörtert, daß der Einfluß von Uranus' Schwerkraft Pluto veranlaßt haben könnte, aus einer Bahn um Neptun auszubrechen, und indem er das tat, könnte Pluto Triton, den größeren von Neptuns gegenwärtigen Monden, veranlaßt haben, seine Umlaufrichtung umzukehren.

Kapitel 5 *Kometen und Planetoide*

28. Es gibt keine Methode, aus der Abbildung zu ersehen, in welche Richtung sich der Komet bewegt. Ein Kometenschweif weist wegen eines ›Sonnenwindes‹ molekularer Teilchen, der außerhalb der Sonnenoberfläche bläst, immer von der Sonne weg. Wenn ein Komet sich der Sonne nähert, ist sein Schweif nach hinten gerichtet. Am sonnennächsten Punkt bildet der Schweif einen rechten Winkel mit der Kometenbahn. Wenn er sich wieder von der Sonne entfernt, ist sein Schweif nach vorn gerichtet! Es ist daher unmöglich, aus

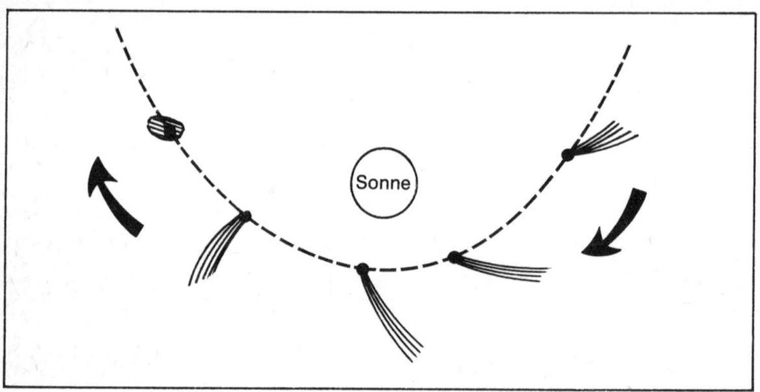

Der Schweif eines Kometen weist immer von der Sonne weg.

einer Abbildung zu ersehen, in welche Richtung sich ein Komet bewegt.

29. Es ist äußerst unwahrscheinlich, daß die Erde mit einem Planetoiden zusammenstößt, aber es ist durchaus möglich. Mehr als ein Dutzend Planetoide haben Bahnen, die die Erdbahn kreuzen. Einige kreuzen die Bahnen von Venus und Jupiter. Ein Planetoid, Icarus (1949 entdeckt), kreuzt sogar die Merkurbahn und kommt näher an die Sonne als jeder andere Körper im Sonnensystem mit Ausnahme einiger Kometen. Im Juni 1968 flog Icarus nur etwa 6,5

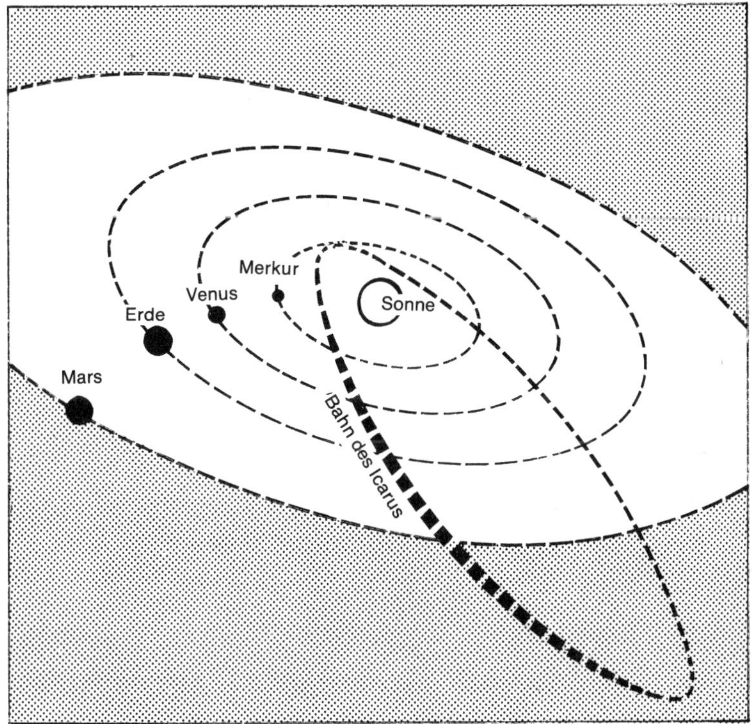

Die Bahnen des Planetoiden Icarus und der Erde kreuzen sich an zwei Punkten. Dadurch werden Zusammenstöße möglich.

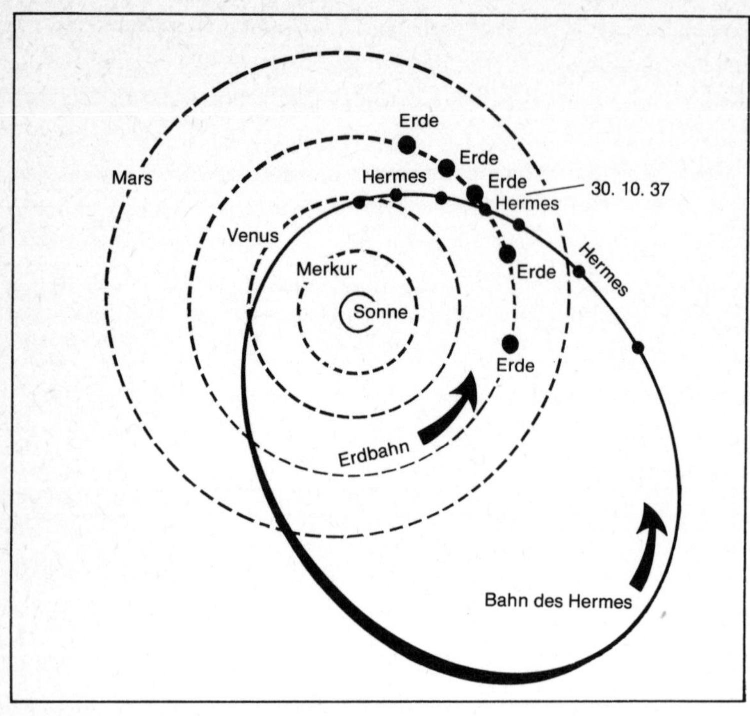

Am 30. Oktober 1937 verfehlten sich die Erde und Hermes nur um 0,8 Millionen Kilometer.

Millionen Kilometer an der Erde vorbei. Das mag eine große Entfernung scheinen, aber es ist nur etwa siebzehnmal so weit wie die Entfernung des Mondes von der Erde. Zuvor hatte in dem Jahr eine Zahl von unkundigen religiösen Fanatikern vorausgesagt, daß Icarus die Erde treffen und die meisten seiner Bewohner vernichten würde. Die nächste Annäherung des Planetoiden an die Erde ist 1987. Es ist unmöglich, die tatsächliche Bahn von Icarus im voraus genau aufzuzeichnen, weil sie von so vielen anderen Planeten beeinflußt wird.

Einige Planetoiden sind viel dichter an der Erde vorbeigeflogen als Icarus 1968. Am knappsten sind wir am 30. Oktober 1937 davongekommen, als Hermes nur 0,8 Millionen Kilometer an der Erde vorbeiflog, etwa die doppelte Entfernung von Erde und Mond. Hermes ist seitdem nicht mehr gesehen worden. Keiner weiß, wo der kleine Planetoid ist.

Weil ein Zusammenstoß mit einem großen Planetoiden ein Land so groß wie, sagen wir, Frankreich zerstören kann, hat Isaac Asimov vorausgesagt, daß wir in Zukunft Raumstationen haben werden mit Computern, die dazu bestimmt sind, genaue Radarbeobachtungen an allen sich nähernden Körpern vorzunehmen. Wenn ein Planetoid auf Kollisionskurs mit der Erde entdeckt wird, könnte ein Raumschiff losgeschickt werden, das ihn mit einer H-Bombe sprengt. Dies würde, schreibt Asimov, einen harmlosen Meteoritenschauer erzeugen. »Bis dann«, so schließt er, »schweben die Felsen des Damokles über uns, und die Ewigkeit kann für Millionen von uns – zu jeder Zeit – nur eine Stunde entfernt sein.«

30. ›Ekard‹ ist das Wort ›Drake‹ rückwärts geschrieben. Der Entdecker war, als er den Planetoiden fand, Student der Drake Universität in Des Moines, Iowa, USA.

Kapitel 6 *Raumflug*

31. Die drei Methoden, um das Glas mit Hilfe der Trägheit zu leeren, sind:

1) Halte das Glas ruhig und ziehe es dann ruckartig in Richtung des Bodens. Das Wasser wird zurückbleiben.
2) Bewege das Glas in Richtung der Öffnung und halte es plötzlich an. Das Wasser wird sich weiterbewegen.
3) Schwenke das Glas mit dem offenen Ende nach außen im Kreis. Die Zentrifugalkraft (eine Form der Trägheit) wird das Wasser aus dem Glas treiben.

Tatsächlich würde Wasser im schwerefreien Raum nicht lange im Innern eines offenen Glases bleiben. Ohne eine hinabziehende Kraft, die das Wasser im Glas hält, würde die Adhäsionskraft das Wasser die Wände hochkriechen lassen, dann über den Rand und die Außenfläche hinunter.

32. Die Antwort auf diese Frage ist dieselbe wie auf die vorhergehende. Das Raumschiff entspricht dem Glas, die darin befindlichen Gegenstände dem Wasser. Die drei Methoden sind:

1) Das Raumschiff nutzt sein Antriebssystem während der ersten Hälfte der Reise zu einer ständigen Beschleunigung (Erhöhung der Geschwindigkeit). Die Trägheit drückt die Gegenstände in Richtung auf das hintere Ende des Schiffes, so wie man in einem Fahrstuhl nach unten gedrückt wird, wenn die Kabine nach oben anfährt. Nach Albert Einsteins ›Prinzip der Äquivalenz‹ ist ein ›Trägheitsfeld‹ dieser Art ununterscheidbar von einem Schwerefeld. Wenn die Beschleunigung den richtigen Betrag hat, verhalten sich die Gegenstände innerhalb des Schiffes genauso, wie wenn das Raumschiff auf der Erde ruht.

2) Das Raumschiff nutzt sein Antriebssystem während der zweiten Hälfte seiner Reise zu einer ständigen Verzögerung (Verminderung der Geschwindigkeit). Dadurch wird ein Schwerefeld wie vorher simuliert, diesmal ist die Trägheitskraft jedoch zur S p i t z e des Schiffes gerichtet.

3) Das Raumschiff rotiert. Die Zentrifugalkraft, eine Form der Trägheit, zwingt die Gegenstände im Schiff, sich vom Rotationszentrum nach außen zu bewegen, wie wenn ein Schwerefeld das Schiff umgäbe. Das ist die ideale Methode, um innerhalb einer Raumstation, die die Erde umkreist, Schwerkraft zu simulieren. Die Station hätte die Form eines riesigen hohlen Krapfens. Indem man die Station mit der richtigen Geschwindigkeit rotieren ließe, könnte man bestimmten Abteilen in der Station ein Trägheitsfeld von derselben Größe wie die Schwerkraft auf der Erde geben.

Dies sind die drei allein bekannten Methoden, um in einem Raumschiff Schwerkraft zu simulieren. Keine ist bisher angewandt worden.

33. Nicht, wenn sie an einer Stelle bleibt. Eine Kerze kann nur brennen, wenn die durch das Brennen verbrauchten Gase aufsteigen. Das geschieht auf der Erde, weil die Schwerkraft die Luft nach unten zieht und eine Auftriebskraft erzeugt, die alles, was leichter als Luft ist – die verbrauchten Gase zum Beispiel –, nach oben steigen läßt. Im schwerelosen Raum hat die Luft keine Auftriebskraft. Verbrauchte Gase bleiben nahe bei der Kerzenflamme und löschen sie schnell aus. Natürlich könnte man die Kerze eine lange Zeit am Brennen halten, indem man sie langsam von einer Seite zur anderen bewegt oder sie behutsam anbläst.

34. Nach Einsteins Relativitätstheorie ist der reisende Zwilling, wenn er zurückkehrt, ein wenig jünger als der zurückgebliebene Bruder. Je schneller sich ein Raumschiff bewegt, um so langsamer verstreicht die Zeit im Innern des Schiffes verglichen mit der Zeit auf der Erde. Wenn das Raumschiff sich so schnell wie das Licht bewegen könnte, würde die Zeit völlig stillstehen! (Der Grund dafür ist zu kompliziert, um ihn hier zu erklären. Aber wenn Sie sich dafür interessieren, ein Kapitel in meinem Buch *Relativitätstheorie für alle* handelt von der ›Zwillingsparadoxie‹.)

Wenn der reisende Zwilling sich mit äußerst hoher Geschwindigkeit sehr weit entfernte, könnte er nur einige Jahre altern, dann zur Erde zurückkehren und feststellen, daß Hunderte von Jahren verstrichen sind! Es ist daher theoretisch möglich, daß ein Astronaut in die Zukunft der Erde reist. (Reisen in die Vergangenheit bringen, wie Kenner von Science-fiction wissen, alle möglichen Widersprüche mit sich. So könnte man zum Beispiel in die Zeit seiner eigenen Kindheit reisen, sich erschießen und damit verhindern, daß man aufwächst und die Reise in die Vergangenheit unternimmt!)

Gegenwärtig sind die Entfernungen und Geschwindigkeiten, mit denen die Astronauten reisen, so gering, daß die Zeitunterschiede noch nicht meßbar sind*). Zukünftig jedoch kann die ›Zwillingsparadoxie‹ Wirklichkeit werden.

35. In Vernes Raumschiff würde schwereloser Zustand geherrscht haben von dem Augenblick, in dem es das Kanonenrohr verlassen hat, bis zu dem Moment, in dem es in den Pazifik stürzt. Der Zustand der Gewichtslosigkeit herrscht in jedem Raumschiff, das sich frei im Raum bewegt, ohne daß die Raketenmotoren es antreiben.

36. Jeder Gegenstand, der aus dem Fenster eines sich bewegenden Raumschiffes gestoßen worden ist, würde sich infolge seiner Trägheit immer weiter von dem Schiff entfernen. Er könnte nicht längsseits des Schiffes verbleiben, wie es in Vernes Geschichte berichtet wird.

37. Die Luft in einer geschlossenen, halb mit Wasser gefüllten Flasche würde in der Mitte der Flasche eine kugelförmige Blase bilden, wie die Zeichnung oben rechts zeigt. Dies wurde tatsächlich im schwerelosen Zustand von dem russischen Astronauten Pavel R. Popowitsch während seines Raumfluges 1962 getestet. »Sie (die Luft) blieb dort«, berichtete er, »selbst wenn ich die Flasche schüttelte.«

38. Die Raumschiffe nähern sich mit der relativen Geschwindigkeit von 30 000 km in der Stunde oder 500 km in der Minute. Wenn Sie sich vorstellen, der Vorgang läuft rückwärts ab wie ein rückwärts

---

* Mit äußerst genauen Cäsiumuhren haben amerikanische Physiker die Erscheinung vor einigen Jahren in Flugzeugen, die in entgegengesetzter Richtung um die Erde geflogen sind, zweifelsfrei nachgewiesen (Anm. des Übersetzers).

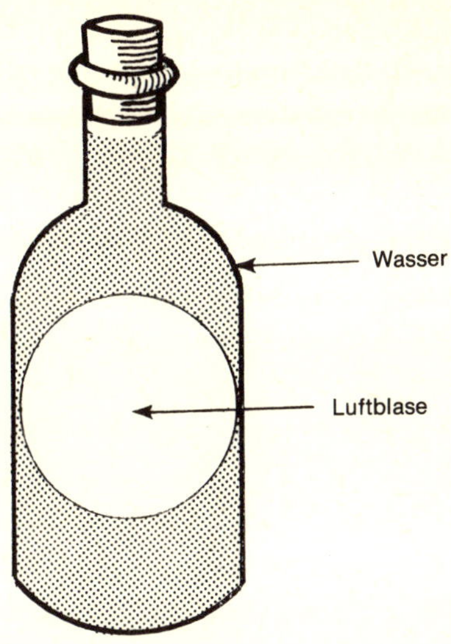

projizierter Film, werden Sie sofort erkennen, daß sie eine Minute, bevor sie sich treffen, 500 km voneinander entfernt sein müssen. Die Entfernung von 15 537 km am Anfang wurde nur hinzugefügt, um Sie zu verwirren. Sie wird für die einfache Lösung nicht benötigt.

39. Die Seilruck-Technik würde bei einem Raumschiff, das umhertreibt, nicht funktionieren. Das geht in einem Boot nur, weil die Reibung zwischen dem Boot und dem Wasser da ist. Die Situation ist ähnlich zu der eines Jungen in einem Karton auf gebohnertem Holzfußboden. Indem er seinen Körper plötzlich nach vorn schnellt, kann er den Karton auf dem Fußboden eine kurze Strecke nach vorn schießen lassen. Die Reibung hält den Karton fest, bis die Trägheit des Jungenkörpers den Karton nach vorn treibt.

Im Weltraum gibt es keine Reibung, weil das Schiff von einem fast vollkommenen Vakuum umgeben ist. Aus diesem Grund kann ruckartiges nach vorn Ziehen an einem Seil, das an einem Ende am

Schiff befestigt ist, das Schiff nicht in Bewegung setzen. Ab und zu glaubt immer mal jemand, der die grundlegenden Bewegungsgesetze nicht kennt, er hätte einen ›Trägheitsantrieb‹ erfunden, der ein Raumschiff allein durch Trägheitskräfte antreiben könnte. Solche Anstrengungen sind zum Scheitern verurteilt. Die einzige Möglichkeit, wie ein umhertreibendes Raumschiff sich in Bewegung setzen kann, ist, eine Art Materie auszutreiben, wie zum Beispiel das Gas seiner Raketenmotoren.

40. Nein, der Astronaut würde nicht explodieren. Dies ist ein weitverbreiteter Irrglaube, den der Film 2001 Odyssee im Weltraum in einer Szene zu zerstreuen versuchte, von der viele Kritiker glaubten, sie sei naturwissenschaftlich falsch. Die Wahrheit ist, daß man von einigen Tieren herausgefunden hat, daß sie einige Minuten im Vakuum leben können. Ein Mensch könnte natürlich im Weltraum ohne Luft zum Atmen nicht überleben, aber er würde sicher nicht explodieren. Der Druck im Innern seines Körpers ist viel zu schwach, um solch ein Ereignis zu verursachen, selbst wenn der Astronaut den Atem anhielte, um die Luft in der Lunge zu behalten. Tatsächlich könnte er etwa zwanzig Sekunden oder länger tätig sein, bevor er wegen der Kälte und des Luftmangels das Bewußtsein verlöre.

CIP-Kurztitelaufnahme der Deutschen Bibliothek
Gardner, Martin:
Mathematische Planetenzauberei = Space puzzles /
Martin Gardner. [Übers.: Reinhard Soppa]. –
Berlin, Frankfurt [Main], Wien: Ullstein, 1980.
Einheitssacht.: Space puzzles ⟨dt.⟩
ISBN 3-550-07685-1